18.95

Nie zadręczaj się drobiazgami,
kobieto

KRISTINE CARLSON

Nie zadręczaj się drobiazgami, kobieto

czyli jak wywiązywać się z obowiązków
i mieć czas dla siebie

Przełożyła
Magdalena Hermanowska

DOM WYDAWNICZY REBIS
POZNAŃ 2008

Tytuł oryginału
Don't Sweat the Small Stuff for Women

Redakcja
Krystyna Strzałko

Projekt i opracowanie graficzne okładki
Cezary Ostrowski

Fotografia na okładce
© Adrianna Williams/zefa/Corbis

Wydanie II

ISBN 978-83-7510-233-8

Dom Wydawniczy REBIS Sp. z o.o.
ul. Żmigrodzka 41/49, 60-171 Poznań
tel. 061-867-47-08, 061-867-81-40; fax 061-867-37-74
e-mail: rebis@rebis.com.pl
www.rebis.com.pl

Fotoskład: *Akapit*, Poznań, ul. Czernichowska 50B, tel. 061-879-38-88

Dedykuję tę książkę trzem najważniejszym kobietom mojego życia: matce, Patricii Anderson, która dała mi życie, oraz córkom, Jazzy i Kennie, które obdarzają mnie niezwykłą miłością. Być Waszą mamą to wielki zaszczyt, kocham Was takie, jakie jesteście – zawsze i nieustająco.

Podziękowania

Przede wszystkim pragnę podziękować Richardowi Carlsonowi, mojemu ukochanemu, nieocenionemu mężowi, za inspirację i miłość, które umożliwiły mi napisanie tej książki. Dziękuję również moim rodzicom – Pat i Tedowi Andersonom – za nieustającą miłość, cudowne dzieciństwo i wspaniały start w dorosłe życie. Pragnę podziękować też mojemu wydawcy, Leslie Wells, za pomoc i wsparcie oraz moim teściom – Donowi i Barbarze Carlsonom – za otuchę i entuzjazm, którymi obdarzali nas przez te wszystkie lata.

Jestem szczęśliwa, ponieważ doświadczam dobrodziejstwa wielu wspaniałych przyjaźni. Chciałabym podziękować tym wszystkim wyjątkowym kobietom, które podarowały mi tak dużo wsparcia, odwagi i otuchy, a także zainspirowały mnie samą obecnością w moim życiu. Właśnie od nich zaczynam spisywać listę „Stu jeden mentorów mego życia". Dziękuję Betty Norrie, Sheili Krystal, Michaeli Bailey oraz mojej ciotce, Pauline Anderson. Składam podziękowania również moim ukochanym przyjaciółkom za to, że w trakcie pisania tej książki obdarzały mnie pomocą i wsparciem: Kimberly Bottomley, Lisie Marino, Jane Carone, Cindy Driscoll, Melanie Edwards, Caroline Benard, Frances Evensen, Carole Stewart, Carol Simons, Christine Scharmer, Jeanine Stanley, Pameli Hayle-Mitchell, Marni Posl, Corry Wille, Heidi Mitchell-Springer i Victorii Moran. Gorąco dziękuję tym wszystkim kobietom za inspirację. Jesteście dla mnie wielkim i bezcennym darem!

Przedmowa

To moje wielkie spełnione marzenie i prawdziwy zaszczyt, że mogę dzisiaj napisać wstęp do książki Kris Carlson. Kris i ja jesteśmy nie tylko małżeństwem z piętnastoletnim stażem, lecz także prawdziwymi i bliskimi przyjaciółmi. Dzielimy się ogromem miłości, szacunku i przede wszystkim śmiechu. Wkrótce przekonacie się, że Kris jest wspaniałą pisarką, lecz to nie jedyne jej powołanie. Jest kochającą, pełną poświęcenia matką i przyjaciółką wielu osób. Mądra, współczująca, potrafi wybaczać, no i przede wszystkim: nie przejmuje się drobiazgami. Naprawdę! A na dodatek ma tyle silnej woli, by samodzielnie zajmować się swoimi problemami i znajdować ich rozwiązania. A kiedy się denerwuje, to nigdy nie trwa to zbyt długo. Chociaż jest optymistką, patrzy na świat bardzo realnie. Jest świadoma problemów, wobec których staje większość kobiet, i ma prawdziwy talent do znajdowania słusznych rozwiązań.

Od wielu lat Kris i ja omawiamy w naszych książkach z serii *Nie przejmuj się drobiazgami* różnego rodzaju problemy, dyskutujemy na temat ich rozwiązań i sposobów postępowania. Zazwyczaj zaczynamy dzień od krótkiej medytacji, a później szczerze i serdecznie ze sobą rozmawiamy. Kris uwielbia dyskusje i to nie tylko dlatego, że bezbłędnie dostrzega istotę wielu problemów; znajduje w nich również zabawne strony. Nigdy nie śmieje się z innych osób, za to prawie zawsze śmieje się z siebie samej, gdyż jest to konieczne i niezbędne, jeśli ktoś chce być efektywnym nauczycielem szczęścia.

Są pewne sprawy, które potrafi zrozumieć tylko kobieta. Oczywiście, nie jestem bezstronny, lecz nigdy nie spotkałem osoby, która miałaby większe kwalifikacje, by zająć się kobiecymi sprawami, niż Kris Carlson. I rzeczywiście, jeśli Kris mówi do mnie: „Ty po prostu tego nie rozumiesz", to zawsze dotyczy to tylko i wyłącznie kwestii związanych z kobietami! Mam dwie córki i „nie zawsze je rozumiem", więc jestem niezmiernie szczęśliwy, że mam przy sobie Kris, która tym wszystkim zawiaduje!

Wiem, że pokochacie tę książkę. Jest pełna mądrości i dobrych rad dotyczących różnych codziennych spraw. Kris bezbłędnie trafia w ich sedno, podchodzi do nich w sposób pełen uczciwości, szacunku i humoru. Nie ma tutaj bezsensownej paplaniny ani pustych słów. Wszystko, co przeczytacie, jest przepełnione starym, dobrym poczuciem zdrowego rozsądku z lekką domieszką sprytu i mnóstwem mądrości.

Wielu moich dobrych przyjaciół to kobiety. W ciągu lat poznałem ich setki, spotykałem je w różnych krajach świata. Zostałem wychowany przez wspaniałą matkę i dorastałem w towarzystwie dwóch cudownych sióstr. A teraz sam mam dwie córki. Gdy czytałem tę książkę, widziałem na jej kartach te wszystkie kobiety, które poznałem. Jej przesłanie skierowane jest do wszystkich kobiet – młodych i starych, samotnych i zamężnych, rozwiedzionych i owdowiałych. Często mówię: „Jesteśmy w tym wszyscy razem". Oznacza to, że jako obywatele świata wszyscy miewamy problemy z własnym człowieczeństwem; nikt z nas nie jest wyjątkiem. Nie ulega jednak wątpliwości, że kobiety są zupełnie inne niż mężczyźni – mają odmienne problemy, troski, dążenia i priorytety. I chociaż się nigdy nie dowiem, co znaczy być kobietą, w pełni zdaję sobie sprawę z tego, że każda z pań znajdzie w tej książce coś dla siebie.

Mam wielką nadzieję, że wszyscy ludzie, zarówno mężczyźni, jak i kobiety, nauczą się, jak uczynić swoje życie szczęśliwszym i spokojniejszym. Jeżeli jesteś kobietą, ta książka pomoże ci wybrać taki właśnie kierunek. To wspaniała lektura, a zarazem zabawny sposób, by dowiedzieć się, jak przestać zadręczać się drobiazgami.

Z poważaniem
Richard Carlson
Benicia, Kalifornia
październik 2000

Wstęp

Przeważnie kobiety nie mają w życiu zbyt dobrze. Dzięki naszym matkom, babkom i prababkom zrównałyśmy się z mężczyznami (nawet jeśli niektórzy z nich tak nie uważają). Zrobiłyśmy niewiarygodnie wielki krok w różnych dziedzinach zawodowych, w których dotychczas przeważały białe męskie kołnierzyki, przełamałyśmy sztywne bariery płci w niemal wszystkich profesjach. Co więcej, jesteśmy szanowane przez innych i szanujemy siebie same. I zasługujemy na to! Mamy więcej niezależności, możliwości i udogodnień niż kiedykolwiek przedtem, a także umiejętności, by żyć pełnią życia.

Jednak tym wszystkim zdobyczom, które stały się naszym udziałem, towarzyszy dotkliwe uczucie zagubienia, chaosu i przytłoczenia. W przeciwieństwie do kobiet z poprzednich pokoleń, nie mamy konkretnego wzorca, który wskazywałby nam, jak żyć. W zamian oczekuje się od nas, że będziemy robiły wszystko i to przez cały czas. Przeniosłyśmy naszą zdolność do jednoczesnego wykonywania niezliczonych zadań na zupełnie nowe poziomy. Jesteśmy „superkobietami", które mają naprawdę wiele powodów do radości, a mimo to jesteśmy wyczerpane!

Jedyną rzeczą, która n i e zmieniła się aż tak bardzo, jest to, że wiele z nas ma tendencje do zadręczania się drobiazgami. Kobiety są niewiarygodnie silne. Kiedy stawka jest wysoka, my – jak na ironię – działamy naprawdę bardzo sprawnie. Jeśli zdarzy się jakiś kryzys, zaraz przejmujemy dowodzenie. Jeżeli przyjaciel jest w potrzebie, już przy nim jesteśmy. Zachoruje dziecko, zwróć się do kobiety, by dała ci siłę. Jeśli trzeba się poświęcić, a mamy taką możliwość, to staniemy na wysokości zadania i zrobimy wszystko, co trzeba zrobić.

Z drugiej jednak strony, jesteśmy pierwsze do tego, by przegrać z byle drobiazgami! Bywamy przewrażliwione, małostkowe, nerwowe i spięte. W większości jesteśmy perfekcjonistkami, nadmiernie usiłujemy wszystko kontrolować i łatwo się obrażamy. Wszystko traktujemy bardzo osobiście, a nasze reakcje bywają zbyt dramatyczne. Często szybko się nudzimy, niepokoimy, irytujemy i wpadamy we frustracje.

Przeżyłam wspaniałe doświadczenie, gdy wraz z Richardem pisaliśmy *Nie zadręczaj się drobiazgami w miłości*. Jednak muszę przyznać, że gdy Richard zaproponował, bym po raz pierwszy samodzielnie coś napisała, przez chwilę miałam ochotę uciec jak najszybciej, skuliwszy ogon pod siebie. Lecz gdy wszystko przemyślałam, uznałam, że byłoby to wspaniałe wyzwanie oraz jakaś część mojej duchowej podróży, z których nie mogłam tak po prostu zrezygnować. To dawało mi także szansę na przemyślenia i wyrażenie słowami tego wszystkiego, co przez całe życie próbowałam stosować.

Chcę, abyś wiedziała, że rady zawarte w tej książce nie pochodzą od kobiety, która ma poczucie wyższości albo złudzenie, że wszystko jej się udaje. Jestem od tego daleka; jestem zwykłą osobą, która kiedyś musiała poradzić sobie ze wszystkimi problemami i wyzwaniami opisanymi w tej książce, albo radzi sobie z nimi właśnie teraz. Większość z nas w takim czy innym stopniu boryka się ze swoim wyglądem, problemami rodzinnymi, finansami, mężczyznami, przyjaciółkami, stylem życia, odpowiednim dysponowaniem swoim czasem, komunikacją z innymi ludźmi, rodzicielstwem i zachowaniem równowagi w życiu. Ja na pewno! Z tego właśnie składa się życie i żadna z nas nie jest wyjątkiem!

Podejrzewam, że moim największym skarbem, podobnie jak i Richarda, jest to, że najczęściej czuję się naprawdę szczęśliwą osobą. Wolę widzieć szklankę do połowy pełną niż w połowie pustą. Zawsze jestem wdzięczna za to, że jestem kobietą, i za to, że żyję. Szczęście i spokój ducha należą do moich priorytetów. Dzięki swojej naturze i wysiłkom, jakie podejmuję, doszłam do przekonania, że nie ma potrzeby (w większości wypadków), by zadręczać się drobiazgami. Odkryłam, że im mniej się przejmuję, tym bardziej mogę cieszyć się swoją kobiecością.

Tak jak wiele innych kobiet znajduję mnóstwo różnych powodów (niektóre z nich są bardzo powierzchowne, niemniej zabawne), by rozkoszować się tym, że jestem kobietą. Uwielbiam trykotowe koszulki z koronkami, obrazki przedstawiające francuską wieś i zapach cynamonu. Kocham aromatyczne kąpiele i eksperymenty z makijażem. Nie ma dla mnie nic wspanialszego od bycia „mamusią", a układanie włosów moim córkom sprawia mi ogromną radość. Uwielbiam również być żoną Richarda. Kocham swoje przyjaciółki oraz tę wrażliwość, zrozumienie i współczucie, które ofiarowujemy sobie każdego dnia. Z ogromną pasją wyrażam się poprzez sztukę, tworzę sobie przystań poza domem, ćwiczę, uprawiam jogę, medytuję. A poza tym – muszę się do tego przyznać – uwielbiam robić zakupy!

Z drugiej strony, zmagam się również z wieloma wyzwaniami, okolicznościami i problemami, wobec których stają współczesne kobiety, począwszy od zarządzania własną firmą po pracę w niepełnym wymiarze przeplataną obowiązkami macierzyńskimi. Jestem również pełnoetatową matką i szefem domu. W niektórych dziedzinach osiągam większe sukcesy, w innych mniejsze. Bardzo długo zmagaliśmy się z trudnościami finansowymi i walczyliśmy, by związać koniec z końcem. Kiedyś byłam samotna, teraz jestem mężatką. Były oczywiście i takie czasy, kiedy byłam zbuntowaną nastolatką, a potem studentką, chociaż z coraz większym trudem przypominam sobie tamte lata.

Ta książka jest przeznaczona dla zapracowanych kobiet, które pragną jak najwięcej wyciągnąć z życia, pozwalając, by ich świat duchowy nieustająco splatał się z materialnym, i które potrafią dawać bez poświęcania samych siebie. Zastosowanie poniższych strategii i sposobów postępowania nie sprawi, że twoje życie stanie się idealne, lecz bez wątpienia znajdziesz w nim więcej radości i stwierdzisz, że wszystko jest dużo łatwiejsze. Opracowałam strategie, które bardzo łatwo można wprowadzić w czyn. Każda z nich jest tak opracowana, by pokazać ci, jak wyżej się cenić, jak zespolić się ze swoim duchem, podarować sobie więcej czasu, zainspirować nowymi perspektywami czy też pozbyć się tych wszystkich drobiazgów, które zatruwają ci życie. Krótko mówiąc, sposoby te wskażą ci więcej różnych opcji. Dzięki nim będziesz mogła reagować na wszystko trochę mniej emocjonalnie i staniesz się bardziej rozważna. Jestem głęboko przekonana, że kobiety są nadzwyczaj mądre i elastyczne. Dzięki niewielkim zmianom i przystosowaniu się do rzeczywistości jesteśmy w stanie wydobyć tę mądrość na powierzchnię.

Bez względu na to, na jakim etapie podróży znajdujesz się obecnie, zapraszam cię na spotkanie na kartach tej książki. Jestem niezmiernie podekscytowana i jednocześnie zaszczycona, że mogę podzielić się z tobą przemyśleniami i filozofią z cyklu *Nie zadręczaj się*, które w tym wypadku dotyczą właśnie kobiet. W głębi serca wiem, że każda z nas jest obdarzona wielkim potencjałem – mądrości, kreatywności, miłości, dobra, współczucia, siły i czułości. Życzę ci, aby twoje życie było pełne tych wartości oraz wszystkich innych, które są dla ciebie ważne. Powodzenia!

1

Pożegnaj się z superkobietą

Widziałam afisz z napisem: „Jestem Kobietą. Jestem niezwyciężona. Jestem zmęczona". Dziewczyno, czy to nie mówi samo za siebie? Skąd my, kobiety, wzięłyśmy pomysł, że musimy być perfekcyjne we wszystkim, co robimy, i na dodatek robić to z werwą i wdziękiem superkobiety? Nie ma nic złego w tym, że dajesz z siebie wszystko, co masz do zaoferowania. Lecz jeśli twoje oczekiwania są zbyt wygórowane, głowa ci pęka i rwiesz sobie włosy z głowy, powinnaś się zastanowić, czy nie pożegnać się z tą superkobietą, która jest w tobie.

Trzeba zastosować tutaj trzystopniowy sposób postępowania. Po pierwsze, pozbądź się przekonania, że możesz zrobić wszystko. Kiedy nie jesteś w stanie wykonać kompletu zadań ze swojej listy, to nie znaczy, że jesteś do niczego. Po drugie, naucz się prosić o pomoc, kiedy jej potrzebujesz. I po trzecie, bądź gotowa na zmiany, jeśli okazuje się, że twój system zawodzi. Jeżeli potrafisz zrobić te trzy rzeczy, to znaczy, że już zaczynasz się żegnać z superkobietą!

Pamiętam, że ja również kiedyś myślałam, że z łatwością pogodzę macierzyństwo, pracę zawodową oraz wszystkie inne sprawy i jednocześnie zachowam idealne małżeństwo. Szło mi całkiem dobrze, dopóki nie urodziła się nasza druga córka, nasza cudowna Kenna. Wówczas mój system się załamał. Kenna była jednym z najsłodszych maleństw, jakie kiedykolwiek przyszły na świat. Jednak często chorowała na zapalenie ucha, któremu towarzyszyła wysoka gorączka. Brała więc antybiotyki i przez większość czasu była chora. Żadna opiekunka nie wchodziła w rachubę; nie marzyłam nawet o tym, by ktoś inny opiekował się moim chorym dzieckiem. Richardowi i mnie zaczęło już brakować rozwiązań.

I nagle, pewnego pełnego stresów poranka, wpadłam na pomysł. Kiedy się w końcu uspokoiłam, zdałam sobie sprawę, że próbuję utrzymać wizerunek, który całkowicie wymknął mi się spod kontroli i który kosztuje mnie więcej energii, niż przypuszczałam. Zupełnie jakby zapaliła mi się w głowie jakaś lampka; zrozumiałam nagle, że już najwyższa pora, by się pożegnać z superkobietą. I właśnie tak uczyniłam!

Zaczęłam myśleć, że nadszedł czas, by dokonać pierwszej zmiany w mojej karierze. Zamieniłam pracę grafika na rolę gospodyni domowej. Chociaż pod względem finansowym nie był to najlepszy okres, doszliśmy do wniosku, że nasza rodzina bardziej skorzysta, jeśli wezmę urlop. Wiedziałam, że to prawdopodobnie zamknie pewien rozdział w mojej osobistej historii i nie będzie łatwe, gdyż zmiany zazwyczaj do takich nie należą. Doszłam jednak do wniosku, że muszę na pierwszym miejscu postawić potrzeby mojej rodziny (oraz zdrowie psychiczne) i dać sobie spokój z superkobietą, która wyobraża sobie, że można zajmować się interesami w czasie przeznaczonym na drzemkę. Tego już było po prostu za wiele!

Po tych pierwszych dokonaniach stwierdziłam, że całodzienne zajmowanie się córkami sprawia mi radość, chociaż oznacza mniejsze pieniądze. Było to bardzo miłe zajęcie, które dawało mi wiele zadowolenia, a nie niosło ze sobą frustracji, że muszę wykonać coś według planu i na czas.

Stres jest zjawiskiem realnym, lecz weź pod uwagę, że w jakimś stopniu tworzysz go sama. Jeśli zarobki twojego męża są niewystarczające, by utrzymać rodzinę na odpowiednim poziomie, nie masz wyboru i musisz iść do pracy. Z drugiej strony, jeżeli mąż dobrze zarabia, a mimo to zdecydowałaś się na pracę zawodową i wiecznie jesteś przez to zestresowana, nieszczęśliwa i przygnębiona – cóż, to już zupełnie inna historia.

Może zabrzmiało to tak, jakbym ustanawiała regułę, że wszystkie matki powinny zostawać w domu i nie pracować. Ale nie mam takiego zamiaru. Chodzi mi tylko o to, że gdy zmieniają się okoliczności, wszystkie musimy przyjrzeć się swojemu życiu i zastanowić nad priorytetami. Kiedy zdarza się coś niezwykłego – na przykład narodziny dzieci, choroba rodziców lub opieka nad chorym dzieckiem – nie możemy oczekiwać, że nasze życie będzie toczyło się tak jak zazwyczaj. Musimy na bieżąco oceniać, czy nasz aktualny styl życia jest dla nas najbardziej odpowiedni. Jeśli nie, musisz podążyć w inną stronę, wprowadzając niewielkie zmiany i dostosowując się do nowej sytuacji. Jeśli przez cały czas jesteś w stresie, nie możesz dać rodzinie tego, co w tobie najlepsze. Nie jest bowiem możliwe, by dobra materialne, których dostarczasz, w jakikolwiek sposób zastąpiły spokój psychiczny tobie i twojej rodzinie.

Jeśli jednak uda ci się wypracować w rozkładzie dnia pracy pewną elastyczność, do tego ktoś ci pomaga, a rodzina ma się dobrze, to punkt dla ciebie – osiągnęłaś równowagę, która się sprawdza.

Pamiętaj, że superkobieta wyobraża sobie, iż może zrobić wszystko, dla wszystkich i to od razu! Gdy ktoś ją poprosi, by poświęciła swój czas, nigdy nie mówi: „Nie, ale dziękuję, że zapytałeś". Nie potrafi określić granic i bez przerwy dodaje do swego kalendarza coraz więcej spraw, a niczego nie wykreśla. Pędzi to tu, to tam, pozostawiając za sobą ślad szaleńczej krzątaniny. Dodaje do swej listy jeszcze jeden komitet, jeszcze jednego zwierzaka. Nigdy nie odrzuca żadnego towarzyskiego zaproszenia ani spotkania, chyba że jest już oczywiście zajęta. I bez przerwy przyjmuje gości. Czy ona ma rodzinę? Cóż, jeśli nie, możesz być pewna, że jeszcze ją wciśnie do swojego kalendarza! Bez względu na to, jakie są przyczyny jej postępowania, bierze na siebie zbyt wiele i w końcu pada z wyczerpania!

Jeśli to wszystko brzmi dla ciebie znajomo, to znaczy, że już najwyższy czas, by raz jeszcze przyjrzeć się wizerunkowi superkobiety i obowiązkom, które sobie narzuciłaś. Bez względu na to, czy jesteś pełnoetatową mamą czy szefem firmy; kobietą samotną czy mężatką, musisz zadać sobie pewne zasadnicze pytania. Czy bardziej cieszyłabyś się dziećmi i miała im więcej do zaoferowania, jeśli zrobiłabyś sobie chwilową przerwę w pracy? A może spędzasz zbyt wiele czasu z dala od nich, usprawiedliwiając się dobrą pracą? Czy zajęcia domowe całkowicie zdominowały twoje życie? Jak dalece pochłonęła cię firma, w której pracujesz, i z czego jesteś w stanie zrezygnować, by dalej wspinać się po szczeblach kariery zawodowej?

Rzecz w tym, że jeśli jesteś zestresowana, pracujesz zbyt ciężko i nie masz już więcej siły, powinnaś zastanowić się, nad czym straciłaś kontrolę, i wprowadzić jakieś zmiany. A najważniejsze jest to, byś zdała sobie sprawę, że nie musisz być doskonała, a superkobieta jest tylko i wyłącznie wymysłem czyjejś wyobraźni.

2

Zaczynaj dzień ze spokojem

Niewiele osób nie zgodzi się z tym, że w dzisiejszym świecie życie jest bardzo skomplikowane, pracowite i niekiedy stresujące. Jednak w zależności od tego, w jaki sposób zaczniesz dzień, możesz znacznie zredukować uczucie stresu niemal bez względu na to, w jakich okolicznościach się znajdujesz.

Porównaj następujące dwa scenariusze. W pierwszym wypadku wyskakujesz z łóżka, wlewasz w siebie filiżankę kawy, a potem przypuszczasz atak na listę rzeczy do zrobienia. Zaprzątasz sobie głowę planami, troskami i zmartwieniami. Dokonujesz w duchu przeglądu wszystkiego, co musisz zrobić. Myślisz o wczorajszych kłótniach, rozczarowaniach i konfliktach, a potem przewidujesz problemy, z którymi zmierzysz się dzisiaj. Włączasz radio, telewizor, wchodzisz do Internetu lub otwierasz gazetę, aby się dowiedzieć, co dzieje się na świecie. Wszędzie znajdziesz oczywiście mnóstwo złych wiadomości. Tak więc w ciągu kilku minut stres, który już wcześniej odczuwałaś, staje się jeszcze silniejszy.

Biegasz jak szalona, spieszysz się, zbierasz siły i przygotowujesz do kolejnego dnia. Jeśli masz dzieci, rozpoczynasz nie kończący się proces. Stwierdzasz, że jesteś zagoniona, roztrzęsiona i odrobinę nerwowa. Studiujesz swój kalendarz z rozkładem dnia, by sprawdzić, co masz dzisiaj w planie. Pierwsze pół godziny twojego poranka to „przygotowania". Jednak to, co robisz, jest w rzeczywistości jedynie przygotowaniem do jeszcze jednego stresującego doświadczenia.

Scenariusz numer dwa jest zupełnie inny. Wstajesz z łóżka wcześniej niż zwykle i zaczynasz dzień prawdziwie szczerym uśmiechem. Siadasz na podłodze i robisz kilka spokojnych ćwiczeń. Gdy twoje ciało się rozgrzeje i poczujesz się lepiej, zamykasz oczy i poświęcasz kilka chwil na cichą medytację. Twój oddech staje się głęboki i spokojny, a umysł jasny i wolny od trosk.

Gdy otworzysz oczy, ogarnie cię uczucie spokoju oraz przekonanie, że wszystko będzie dobrze. Zaczynasz myśleć logicznie, jesteś bezpieczna, spokojna i pewna siebie. Po kilku głębszych oddechach myślisz o dwóch, trzech rzeczach, za które powinnaś być wdzięczna. Nie robisz z tego wielkiej sprawy, lecz po prostu przypominasz sobie, jakim darem jest życie.

Obok ciebie leży sterta inspirujących książek o sprawach ducha, które poprawią ci nastrój. Otwierasz jedną z nich i czytasz najwyżej przez pięć minut. Możesz wybrać przepiękny tomik poezji, Biblię, coś z filozofii buddyzmu lub książkę napisaną przez jednego z twoich ulubionych autorów. To zależy wyłącznie od ciebie.

Po kilku minutach lektury czujesz się ożywiona i gotowa na kolejny dzień. Jesteś pełna entuzjazmu, lecz nie zagoniona i przeciążona pracą, czyli spełniasz warunki konieczne, by osiągnąć maksimum wydajności i spełnienia.

Te dwa sposoby postępowania różnią się od siebie wprost dramatycznie, lecz przez większość czasu to właśnie my mamy bezwzględną i absolutną władzę i możemy zdecydować, który z nich wybrać. Podczas gdy scenariusz numer jeden, zupełnie szalony i niekorzystny, jest dużo bardziej popularny i kuszący, ten drugi zapewnia nam o wiele więcej spokoju.

Nietrudno sprawić, by twój poranny rytuał nie niszczył cię, lecz umacniał na resztę dnia. W większości przypadków wczesny ranek jest idealną porą na takie rzeczy, jak: modlitwa, medytacje, uprawianie jogi i duchowa lektura. Dzieci prawdopodobnie śpią, telefon nie dzwoni, a ty nie znalazłaś się jeszcze pod obstrzałem żądań. A najwspanialsze jest to, że możesz zorganizować sobie ten wyjątkowy czas tak, jak chcesz. Możesz włączyć w to wszystko także poranną kawę lub herbatę, zapalić świece, kadzidła, włączyć muzykę lub robić jakiekolwiek inne rzeczy, które są przyjemne i pomocne. Jeśli raz ustalisz sobie taki spokojny poranny rytuał, bez względu na to, jak go zorganizujesz, zdziwisz się, że kiedyś mogłaś bez niego w ogóle żyć. Argumentem przeciwko tej opcji jest, jak się zapewne domyślasz, tak zwany „brak czasu". Lecz jeśli dokładnie wszystko przemyślisz, okaże się, że to naprawdę kiepska wymówka. Nawet wtedy, gdy muszę zwlec się z łóżka dwadzieścia minut wcześniej, wolę rozpocząć dzień w tak spokojny, niespieszny sposób, zamiast stresować się od samego rana. Stawka jest po prostu zbyt wysoka, by ją ignorować.

Problem w tym, że jeśli tak gorączkowo rozpoczynasz dzień i szaleńczo „rzucasz się do ataku", ten sposób myślenia i postępowania będzie ci towarzyszyć przez resztę dnia. Jeżeli raz znajdziesz się w takim stanie, trudno będzie się go pozbyć. Na szczęście jednak działa to również w odwrotnej sytuacji. Jeżeli rozpoczniesz dzień ze spokojem, będzie ci łatwiej zachować go we wszystkim, co robisz.

Warto przypomnieć sobie również, jak jesteś prężna i twórcza, gdy towarzyszą ci spokój i skupienie. Zamiast gwałtownie reagować na życie, spróbuj być na nie bardziej czuła i wrażliwa. Te dwadzieścia, trzydzieści minut, które spędzisz w tak efektywny sposób, przygotowując się do spokojnego dnia, w rzeczywistości zaoszczędzą ci dużo więcej czasu, niż zabiorą. Innymi słowy, musisz zdać sobie sprawę z tego, że naprawdę nie masz czasu, żeby tego nie robić. Popełnisz mniej błędów, popadniesz w mniejszą liczbę konfliktów, ujrzysz wszystko wyraźniej i pokonasz ostry zakręt na drodze do doskonalenia się. Będziesz myślała bardziej roztropnie, twórczo i sensownie.

Mam nadzieję, że zastanowisz się nad tym pomysłem. Jestem pewna, że w istotny sposób zmieni on twoją codzienność. Mogę sobie jedynie wyobrazić, jaki byłby ten świat, gdyby wszystkie kobiety zaczynały dzień bardziej spokojnie. Z pewnością na to zasługujemy!

3

Nie przesadzaj z komitetami

Założę się, że znasz kilka takich kobiet (a może sama jesteś jedną z nich). Te panie chodzą na każde szkolne spotkanie z nauczycielami i wykorzystują wszelkie okazje, by zapisać się do jakiegoś komitetu. Są również zdeklarowanymi „mamami futbolowymi" i kibicują na wszystkich meczach. Organizują różne fundusze i pieką ciasta na każdą wyprzedaż, jaka tylko się nadarzy. Zgłaszają się na ochotnika do pomocy przy rozmaitych szkolnych wydarzeniach i porządkach w swojej dzielnicy oraz zapisują się do komitetów kościelnych i parafialnych. Jeśli pracują poza domem, prawdopodobnie przejawiają te same skłonności w pracy – należą do różnych komisji oraz rad i uczestniczą w pracach wszelkich możliwych komitetów. Tak dzieje się w każdej sferze ich życia. Czasami przesadzanie z komitetami jest bardzo kuszące. Przynależność do grupy osób o podobnych zainteresowaniach daje poczucie koleżeńskiej wspólnoty, a praca dla dobra ogółu może sprawiać wiele radości. A poza tym miło jest przecież pomagać innym i czuć się potrzebną. Z pewnością nie ma nic złego w działaniu dla poparcia jakiegoś szczytnego celu i jestem przekonana, że każdy powinien dawać z siebie tyle, ile tylko może. Powinnaś angażować się w sprawy swoich dzieci, czy to pomagając w zbieraniu funduszy na szkolną salę gimnastyczną, czy pełniąc rolę opiekunki na wycieczce zastępu harcerskiego twojej córki.

Jeśli jednak stwierdzisz, że cały dzień biegasz rozpaczliwie z jednego spotkania na drugie – popędzasz dzieci przy kolacji, żeby zdążyć na zebranie w miejscowym klubie; poganiasz je przy śniadaniu, żeby biec do schroniska dla zwierząt; bez przerwy działasz w jakichś komitetach, fundacjach i podobnych organizacjach – to znaczy, że prawdopodobnie wzięłaś na siebie zbyt wiele.

Kiedy się nad tym zastanowisz, dojdziesz do wniosku, że twoje dzieci nie mają żadnych korzyści z tak uspołecznionej mamy. To wcale nie jest dla nich zabawne, gdy ty znikasz na całe wieczory, by wziąć udział w tym czy innym spotkaniu. Zabieranie ich na mecze piłkarskie to jedna sprawa, lecz praca trenera czy też organizowanie większości zajęć, w których dzieci biorą udział, mogą się okazać zbyt czasochłonne.

Rozważ następującą rzecz: Mądrze dysponuj czasem, który przeznaczasz na pracę społeczną, i zawsze upewnij się, że nie robisz tego wtedy, gdy powinnaś być ze swoimi dziećmi. Jeśli wybierzesz sobie jedno czy dwa zajęcia i upewnisz się, że sprawiają ci radość, twoja działalność będzie o wiele bardziej znacząca i sensowna. Pamiętaj, że być mamą to zupełnie jak pełnoetatowy komitet! Jeśli nie będziesz bez przerwy biegać z jednego zebrania na drugie, pozbędziesz się wielu stresów, a twoje dzieci docenią wartość dodatkowego czasu, który będziesz miała tylko dla nich.

4

Odpuść czasem swoim przyjaciółkom

Nie przeżywasz czasami takich dni, kiedy po prostu masz ochotę powiedzieć, co myślisz, i nie chcesz, żeby ktokolwiek zadawał ci jakieś pytania? Albo przekręcić jakiś fakt, nie czekając, aż ktoś cię poprawi? Może nie czujesz się dobrze i ostatnią rzeczą, jakiej oczekujesz od dobrej przyjaciółki, jest to, by wzięła sobie twój nastrój nazbyt do serca albo próbowała z tobą na ten temat rozmawiać. Czy nie byłoby miło, gdybyś mogła popełnić błąd, powiedzieć coś głupiego, coś zagmatwać albo być trochę zbyt krytyczna i mieć przyjaciółki, które potraktują to obojętnie? Z pewnością byłoby miło, gdybyśmy mogły liczyć na to, że przyjaciółki czasem nam odpuszczą, a my zrobimy dla nich to samo.

Przypuśćmy, że twoja przyjaciółka dzwoni do ciebie, a ty orientujesz się z tonu jej głosu, że ma zły dzień. Może jest bliska płaczu, a może tylko przygnębiona. Chociaż bardzo chcesz to powiedzieć, naprawdę nie najlepsza to pora na przypominanie jej, żeby się nie spóźniła (jak to miało miejsce ostatnie dwa razy), gdy będzie odwozić dzieci na mecz.

Nie jest to również najlepszy moment, by ją krytykować, wypytywać albo wywoływać jakieś zamieszanie. To także nie czas, by podnosić jakieś kwestie, sugerować, że źle postrzega sytuację, lub czynić jakieś konkretne sugestie. Z pewnością nie jest też dobrym pomysłem wdawanie się w szczegóły historii twojego nieszczęścia albo narzekanie na życie.

Zamiast robić to wszystko, po prostu jej odpuść. Pozwól jej być człowiekiem. Daj chwilę wytchnienia. Nawet jeśli jej kiepski nastrój sprawia, że mówi rzeczy, które nie znajdują twojego uznania, pozwól na to! Jeżeli jesteście naprawdę dobrymi przyjaciółkami, możesz rozważyć nawet zmianę planów i do niej pojechać. To może być ta chwila oddechu, której teraz potrzebuje, by odzyskać humor. Jeśli jesteś właśnie taką przyjaciółką, będziesz kochana już na wieki!

Trzeba pielęgnować i cenić przyjaźnie, zwłaszcza te z kobietami. Bo kto ci pomoże przy dzieciach, kiedy masz grypę, a mąż musi iść do pracy? Do kogo się zwrócisz, gdy czujesz się podle i potrzebujesz ramienia, na którym można się oprzeć i wypłakać? Kto podnosi cię na duchu, gdy rozpada się twoje małżeństwo lub gdy zdarza się jakaś inna katastrofa. Właśnie z tych powodów powinnaś czasem odpuścić swoim przyjaciółkom i nie mieć wobec nich zbyt wygórowanych wymagań, zwłaszcza wtedy, gdy mają zły dzień.

Czasami przyjaciółki są nam bardzo bliskie i z łatwością zapominamy, że są po prostu ludźmi, tak samo jak my. Miewają kiepskie nastroje, popełniają błędy, mówią głupstwa, są zbyt krytyczne, używają słabych argumentów, nie zgadzają się z niektórymi twoimi opiniami i tak dalej. Wszyscy, nawet nasi przyjaciele, mogą być czasami nieczuli, porywczy, mogą potrzebować spokoju albo czuć, że za chwilę zwariują! Najlepsi przyjaciele na świecie to ci, którzy o tym pamiętają, akceptują nas i kochają mimo wszystko. To również ci, którzy od czasu do czasu odpuszczają swoim przyjaciołom i tolerują ich niedoskonałości.

A przede wszystkim musisz pamiętać, że osoba, z którą mieszkasz, twój mąż, chłopak czy partner życiowy, to także twój najlepszy przyjaciel. Pamiętaj, żeby jemu również dać czasem trochę wytchnienia! Ludzie, z którymi mieszkamy, przeważnie nie dostają od nas tego, co w nas najlepsze. Przeciwnie, dajemy im tylko to, co najgorsze! Jeżeli od czasu do czasu odpuścimy sobie nawzajem, przekonamy się, że takie zachowanie uczyni cuda dla długotrwałego szczęścia naszego związku.

Jeśli czasami odpuścisz swoim przyjaciółkom, niebawem okaże się, że w znacznym stopniu zredukowałaś swoje własne stresy. Poczujesz się ze sobą znakomicie, gdyż będziesz miała świadomość, że pozwoliłaś innym na bycie sobą, nawet jeśli było to dalekie od doskonałości. Będziesz także kochana, uwielbiana i doceniana za to, że jesteś gotowa kochać swych przyjaciół po prostu takimi, jacy są.

5

Wyrzuć z siebie nudę

Czasem bywa w życiu tak, że po prostu zamieniamy jeden przymus na drugi z powodu wewnętrznego niepokoju, który kojarzymy z nudą. Próbujemy wypełnić uczucie pustki, doprowadzając się do szału nieskończoną liczbą zajęć. Możesz szukać satysfakcji z jednym partnerem seksualnym bądź z wieloma. Uczucie pustki i niepokoju może również wywołać w tobie przymus ciągłego robienia zakupów, sprzątania, pracy, jedzenia, nadużywania alkoholu lub narkotyków.

Aby się z tego wyleczyć, trzeba uświadomić sobie, że nuda jest wyuczoną reakcją, pewną formą niepokoju, który wynika z naszego myślenia, a dokładnie mówiąc – z nadmiaru myślenia. Nasze umysły są tak zapracowane i „wypełnione", że stajemy się niespokojne, gdy wokół nas nie dzieje się nic ekscytującego.

Ale mam też dobrą wiadomość. Ponieważ mamy zdolność uczenia się, możemy się również oduczyć. Gdy zaczynasz dostrzegać, że nuda nie jest niczym więcej jak pewnym stanem umysłu, i przyzwyczajasz się do niej, możesz użyć jej jako barometru, który skieruje twoją uwagę ku teraźniejszości. Innymi słowy, kiedy czujesz się znudzona, nie panikuj i nie walcz, by zagłuszyć to uczucie jakimś działaniem, lecz wykorzystaj ten stan jako okazję do odpoczynku i relaksu.

Zauważyłam, że natychmiastowe wyrywanie się z depresji, przygnębienia czy nudy jest naszą naturalną tendencją. W ramach eksperymentu zwierzyłam się kilku osobom, że czuję się znudzona. Chciałam się przekonać, jakich udzielą mi rad. I wcale nie byłam zaskoczona tym, co usłyszałam. Jedna z osób powiedziała, że powinnam spędzać więcej czasu na zakupach. Inna doradziła mi, żebym zrobiła remont mieszkania. Usłyszałam również, że prawdopodobnie przydałoby mi się następne dziecko albo więcej pracy społecznej na rzecz szkoły.

Nie ma w tym nic dziwnego. Większość osób w takiej sytuacji poszuka sobie jeszcze więcej zajęć i bodźców, aby uniknąć wszystkich kosztów niepokoju i zdenerwowania, które kojarzymy z nudą. Nikt nie powiedział: „Nie ma nic złego w tym, że jesteś znudzona. Przyjmij to po prostu i zatrzymaj się na chwilę". Wręcz przeciwnie, na zwykłą informację o „mojej nudzie" wszyscy reagowali bardzo nerwowo!

Tutaj nasuwa się bardzo ciekawe spostrzeżenie. Tak naprawdę każdy narzeka bowiem na ciągły brak czasu i nadmiar zajęć, lecz jedyną odpowiedzią, jaką znajduje na swój niepokój, jest jeszcze więcej pracy! To błędne koło!

Następnym razem, gdy poczujesz się znudzona, zaniepokojona bądź zniecierpliwiona, spróbuj w formie eksperymentu czegoś troszeczkę innego. Zamiast rozglądać się od razu za nowym sposobem wyrwania się ze swojego stanu, usiądź na chwilę i zastanów się nad tym. Zwróć uwagę na swoje myśli, a potem skup się na chwili, którą przeżywasz.

Kiedy jesteś znudzona, twoja uwaga koncentruje się na przeszłości lub przyszłości, na tym, czego ci brakuje, lub na tym, co mogłoby być lepsze. Gdy spróbujesz zwrócić swoją uwagę na teraźniejszość, zaczniesz rozumieć, że ta chwila to po prostu samo życie. Prawdziwe życie jest właśnie tu i teraz. Z drugiej strony, nuda nie jest niczym więcej jak tylko pewnym pojęciem; wrażeniem, które wynika z naszego przyzwyczajenia do ciągłego działania i ekscytacji. To tylko umysł płata nam figle, próbując przekonać nas, że życie byłoby dużo lepsze i bardziej spełnione, gdyby tylko wydarzyło się coś jeszcze.

Nie zdając sobie z tego sprawy, uczymy nasze dzieci uczucia nudy, gdyż każdą minutę życia wypełniamy im różnymi zajęciami, rozrywkami, szkołą i bez przerwy dostarczamy jakichś bodźców. Dzieci przyzwyczajają się do sposobu myślenia typu „a co dalej" i zaczynają się nudzić, kiedy nie dzieje się nic „specjalnego" i nie ma na co czekać. Szkoły coraz wcześniej zaczynają wpajać dzieciom trudniejsze i bardziej skomplikowane pojęcia. Ten „pęd do sukcesu" dotyka nawet rodziców małych berbeci, którzy zapisują je na kursy przygotowujące do przedszkola! Dzieci nie mają już czasu, żeby być dziećmi. Wspólnie zdecydowaliśmy bowiem, że pęd do sukcesu jest o wiele ważniejszy. Boimy się, że nasze pociechy nie będą w stanie konkurować z innymi, kiedy dorosną. Prawdę powiedziawszy, przekonaliśmy samych siebie, że „kiedyś" ich życie będzie wspaniałe.

Ja postrzegam tę kwestię zupełnie inaczej. Jestem przekonana, że powinniśmy wskazać dzieciom na znaczenie i doniosłość życia w danym momencie – tu i teraz – aby miały szansę czerpania radości z codziennego życia. Ofiarowując im zdolność cieszenia się sobą, pomagamy im w tym, by kiedyś stały się dojrzałymi nastolatkami, a potem dorosłymi, którzy nie będą bez przerwy szukać dreszczu emocji.

Kiedy ty wyrzucisz z siebie nudę, dzieci pójdą twoim śladem. Jeżeli nuda nie pozbawi cię zdrowych zmysłów, zdasz sobie sprawę, że chwilowo przenosisz się w przeszłość lub przyszłość, a potem znowu skoncentrujesz uwagę na teraźniejszości. Poczujesz spokój, wiedząc, że w tym momencie życie jest już wspaniałe. Nie musisz robić nic, by było jeszcze lepsze.

6

Przestań porównywać się z modelkami

Jeżeli jeszcze tego nie zrobiłaś, to już najwyższy czas, abyś uczciła swą kobiecą wyjątkowość. Często jesteśmy nieszczęśliwe z powodu swojego wyglądu, ponieważ zbyt ochoczo zajmujemy się porównywaniem z innymi kobietami. Jednym z głównych winowajców są media, bo w nich nasilają się tendencje do ustanawiania wysokich, a nawet nieprawdopodobnych standardów, którym usiłujemy sprostać.

Jeżeli czujesz się przygnębiona z powodu swojego wyglądu, musisz przede wszystkim odłożyć na bok czasopisma i zacząć spoglądać w lustro, skupiając się na tym, za co powinnaś być wdzięczna. Musimy pamiętać, że te wszystkie modelki i aktorki, na które patrzymy z zawiścią, są też tylko ludźmi. Z całą pewnością posiadają takie atrybuty fizyczne, które czynią je wzorem kobiecego piękna. Pamiętaj jednak, że większość tego, co widzisz, jest tylko pokolorowaną, komputerową wersją osoby, która wydaje się prawdziwa. Nie widać tu przecież tych wszystkich „przyborów zawodowych", do których należą implanty piersi i odsysanie tłuszczu.

Wiele modelek o doskonałym wyglądzie posuwa się właśnie do takich desperackich metod, by perfekcyjnie ukształtować swoje ciało. Czy normalna kobieta, która ma ograniczony budżet i ledwo znajduje czas, żeby zrobić rano makijaż – nie mówiąc o gimnastyce – może dorównać takim wzorom i oczekiwaniom? A poza tym, kto chce być krojony na kawałki, a potem zszywany tylko po to, żeby dopasować się do czyjegoś ideału piękna? Prawda jest jasna i prosta: my na pewno nie.

Przestań więc porównywać się z wymyślonymi, fantazyjnymi obrazami i wyobrażeniami prezentowanymi przez media. Zamiast tego wykorzystuj swoje atrybuty i bądź najwspanialsza, jak tylko możesz i potrafisz. Dbaj o siebie, a będziesz wyglądać tak pięknie, jak się czujesz, zwłaszcza gdy popatrzysz w lustro i skierujesz uwagę we właściwym kierunku. Miej odwagę patrzeć w lustro i spoglądać na te części swojego ciała, które są niezaprzeczalnie kobiece i atrakcyjne. Ciesz się krągłościami i łukami, ramionami i udami, które są wyjątkowe w swoim kształcie i wielkości, i charakterystyczne tylko dla ciebie. I na koniec jeszcze jedno. Najbardziej atrakcyjna jest kobieta, która wierzy w siebie, gdyż jej piękno wypływa z dobrego samopoczucia i wewnętrznego przekonania o swojej wartości.

7

Postaw jasno kwestię: „Pytasz mnie o zdanie czy mam cię po prostu wysłuchać?"

Wiele razy zapominam zapytać przyjaciółki, męża lub córki: „Pytasz mnie o zdanie czy chcesz, żebym cię po prostu wysłuchała?" Myślę, że dawanie rad to nic trudnego, lecz przyjmowanie ich to już zupełnie inna sprawa. Przyjęcie rady lub nawet wysłuchanie jej, kiedy wcale tego nie pragniesz, jest prawie niemożliwe. Gdy ktoś oferuje ci radę (przeważnie nie proszony), często ją ignorujesz, czasem czujesz się nawet dotknięta, ponieważ chcesz tylko, aby ten ktoś cię wysłuchał.

Wysłuchanie osoby, którą lubisz, jest najprostszym sposobem, aby pokazać, że ci na niej zależy. Brak umiejętności słuchania jest jednym z głównych problemów, jakie ludzie napotykają w swoich związkach, zwłaszcza jeśli mieszkają pod jednym dachem. Wiele razy potrzebujemy jedynie jakiegoś rozsądnego ujścia dla swoich kłopotów, odrobiny współczucia i zrozumienia. I wcale nie oczekujemy rozwiązania. Przekonanie, że znamy rozwiązanie czyjegoś problemu, to w każdym razie czyste zarozumialstwo!

Zanim więc zaczniesz wyrzucać z siebie dobre rady, zadaj to proste pytanie, co w zasadniczy sposób poprawi twoją komunikację z innymi ludźmi. Wielokrotnie przekonasz się, że przyjaciółka, partner czy dziecko będą oczekiwać twojej opinii. Sam fakt, że zadałaś takie pytanie, uzmysłowi im, że w istocie poprosili cię o radę, a w przyszłości zachęci do uważnego słuchania. A twoja rola polega oczywiście na tym, by nastawić się na odbiór, a potem dać najbardziej konstruktywną radę, jaka jest możliwa w danej sytuacji. Zastanów się nad tym, co jest dla tej osoby najkorzystniejsze. Najlepiej, jeśli myślisz wówczas całkowicie neutralnie i otwarcie, gdyż to, co mówisz, zakiełkuje w umyśle twojego słuchacza odrobiną wnikliwości czy mądrości. Na tym właśnie polega rola doradcy, który ma sprawić, by druga osoba samodzielnie znalazła odpowiedź i rozwiązała swój problem.

Powiedzmy, że twoja nastoletnia córka zwierza ci się z kłopotów, które ma z jedną ze swoich szkolnych przyjaciółek. Może pragnie jedynie twojego współczucia, a ty zaraz wyskakujesz z radą, co powinna jej powiedzieć i jak ją potraktować, gdy powtórzy się podobna sytuacja. Córka natychmiast się najeża i przestaje cię słuchać. Zamiast więc od razu zabierać się do pouczania, powiedz (łagodnym, nie mentorskim tonem): „Jestem z tobą. Chcesz, żebym cię wysłuchała, czy pytasz mnie o zdanie?", a unikniesz trudności. Gdy spróbujesz takiego podejścia, twoja córka doceni, że wzięłaś pod uwagę jej uczucia, i w końcu może zacznie prosić cię o rady znacznie częściej. Jeśli nie wysłucha twojej opinii i tak jej pomożesz, choćby tym, że okażesz się wspaniałym słuchaczem. W niektórych wypadkach właśnie tego twoje dziecko potrzebuje i pragnie. A ty również skorzystasz, ponieważ nie poczujesz się sfrustrowana faktem, że córka nie chce twojej rady.

Z pewnością często bywa również i tak, że twoje rady i opinie są potrzebne i chciane. Lecz zdarza się też, że ktoś nie pragnie niczego więcej prócz dobrego słuchacza. Jednym ze sposobów określenia, z którą sytuacją mamy do czynienia, jest zadanie prostego pytania: „Chcesz mojej rady czy wolałabyś, żebym cię po prostu wysłuchała?" Mam nadzieję, że ta strategia przyda ci się w różnych ważnych sytuacjach i związkach z innymi ludźmi tak samo, jak przydała się mnie.

8

Pojednaj się z tym, co doczesne

Musimy zmierzyć się z faktem, że większa część życia jest
doczesną wędrówką. Życie składa się z tysiąca drobiazgów,
niewielkich zadań i czynności, które przychodzą i odchodzą
jak fale czasu. Kiedy tylko pomyślisz, że już wszystko zor-
ganizowałaś i nad wszystkim zapanowałaś, znowu zaczyna
się dzień i jesteś z powrotem w punkcie wyjścia.

Częścią mojego porannego rytuału jest zbieranie niezliczonych rzeczy, które pozostawiają w pośpiechu moi bliscy,
gdy wychodzą z domu. Przez lata nauczyłam się w zasadzie
cieszyć tą chwilą mojej codziennej rutynowej czynności
i myślę o tym, jak o sprzątaniu ścieżki mojego dnia. Pogo-
dziłam się z tym faktem i pomyślałam, że skoro te wszystkie czynności są tak doczesne i zwyczajne, mogę wykorzystać okazję i oddać się medytacjom. Porządek w domu jest
dla mnie bardzo ważny; stwierdziłam, że łatwiej utrzymuję
swój wewnętrzny ład, gdy na zewnątrz jest czysto.

Kiedyś spotkałam w pralni pewnego starszego dżentel-
mena, który kończył właśnie pranie i uśmiechał się z zadu-

mą. Nie mogłam się powstrzymać i nawiązałam rozmowę. Zafascynował mnie sposób, w jaki starszy pan wykonywał tę prozaiczną czynność, podczas gdy mnie wcale to nie bawiło. Powiedziałam mu, że miło patrzeć, jak się uśmiecha, gdy składa swoje rzeczy.

– Widzi pani – odpowiedział. – Składanie rzeczy to dla mnie coś w rodzaju filozofii zen. Znajduję wielkie ukojenie w takich zwykłych czynnościach, które nie wymagają myślenia. To pomogło mi zachować zdrowe zmysły podczas ciężkich chwil, które spędziłem w wojsku.

Proszę bardzo, oto nowe spojrzenie na pranie!

Następnym razem, gdy poczujesz się przytłoczona powtarzalnością domowych czynności, sprawdź, czy potrafisz znaleźć spokój i ukojenie w robieniu zwykłych, normalnych rzeczy. Jeśli postrzegasz je jak porządkowanie ścieżki swojego dnia, pojednasz się ze swoją doczesnością i w ten sposób będziesz miała o jedną psychiczną bitwę mniej do rozegrania.

9

Bądź upadła i brudna

Wiedziałam, że tytuł tej strategii cię oszołomi! (W porządku, nie myśl o niemoralnych rzeczach, chodzi mi o bardziej dosłowne znaczenie tych pojęć.) Daj sobie spokój z tą czystą, wymuskaną i przyzwoitą osobą, którą jesteś na co dzień. Bądź upadła i brudna, tak naprawdę brudna, chociaż przez chwilę! Dobrze ci to zrobi! Kop w ogrodzie bez rękawiczek, biegaj w deszczu i chlap się w każdej błotnistej kałuży, którą spotkasz na drodze. Albo wybierz się na wędrówkę i poczuj wiatr we włosach.

Ja niemal każdego dnia próbuję być upadła i brudna. Czy to podczas porannego biegania, czy wyrywania chwastów w ogrodzie, czy też wówczas, gdy szczotkuję swojego konia, a potem jadę na nim wierzchem; zawsze mam mnóstwo brudu pod paznokciami. W końcu w każdej dziewczynie jest odrobina z chłopaka. A to właśnie przypomina nam, by każdego dnia zachowywać się beztrosko przez kilka chwil, zupełnie tak samo jak wtedy, gdy byłyśmy dziećmi. Nie martwiłyśmy się o makijaż albo rękawiczki do ochrony naszych dłoni, po prostu świetnie się bawiłyśmy!

Takie zachowanie przypomina nam, że powinnyśmy cieszyć się sobą i czerpać energię z natury. Spędzanie jak największej ilości czasu poza domem działa nadzwyczaj odżywczo. Właśnie dlatego uprawianie ogrodu daje tyle zadowolenia i radości. Każdej jesieni sadzę cebulki różnych roślin, a latem słoneczniki. Nie nakładam rękawiczek, więc mogę czuć się brudna. Niecierpliwie czekam, aż cebulki zaczną kiełkować, wykopuję dołek na sadzonkę, a potem obserwuję, jak wiosną i latem kwiaty zaczynają rozkwitać. Każda odmiana wiąże się z określonymi wspomnieniami, ponieważ zapoczątkowałam ten zwyczaj, gdy moje córki były małe. Pamiętam ogromne żółte żonkile i białe jak papier narcyzy, które sadziłam razem z Jazzy, gdy miała dwa, trzy, cztery lata. Ciągle widzę Kennę, jak kopie idealny dołek przeznaczony dla kwiatów, które rosły wzdłuż ścieżki prowadzącej do naszych drzwi.

Po pierwszym sypialnianym przyjęciu, jakie urządziły moje córki, zrobiłam dziewczynkom niespodziankę, podając na śniadanie truskawkowe wafle z bitą śmietaną, których ciągle miały mało. Jednak zamiast wafli posmarowałam śmietaną ich nosy i buzie. Oczywiście były zachwycone i trochę zaskoczone bałaganem, jaki urządziłam. A ja patrzyłam na to w taki sposób: ponieważ przez większą część nocy musiałam być na nogach z powodu ich sypialnianych pogaduszek, należała mi się odrobina zabawy. (Najwięcej dostało się tym, które wstały ostatnie.)

Dzieci nie mają wyrzutów sumienia z powodu brudu i my również nie powinnyśmy ich mieć. Ciesz się sobą na łonie natury i nakarm swego ducha odrobiną brudu. Pamiętaj, że zawsze możesz go zmyć, chociaż gdy będziesz czysta, nigdy nie poczujesz się tak wspaniale!

10

Daj spokój z „Powinnam" i „Mogłam"

Ta strategia jest jeszcze jednym przypomnieniem, by skupiać uwagę na chwili obecnej. Pokazuje nam, że zmiany naszego nastawienia psychicznego nie są niczym więcej, jak tylko nawykiem wiecznego żałowania. Kiedyś Richard i ja usłyszeliśmy pewną opowieść o tym, jak siostrzyczki „Powinnam" i „Mogłam" są w stanie pochwycić cię w swoje szpony, zanim się zorientujesz. Będziesz wówczas bardziej skupiona na tym, co mogłoby być, niż na tym, co jest teraz.

Bez względu na to, czego w danej chwili doświadcza, siostra „Powinnam" ma w zwyczaju komentować, że powinna zrobić to inaczej. Dopiero poprzedniego dnia siostra „Mogłam" chwaliła ją za sukienkę, którą nosiła. „Mogłam" powiedziała „Powinnam", że sukienka ma przepiękny kolor. „Powinnam" zawsze odpowiada w ten sam sposób: „O tak, jest ładna, ale w zasadzie powinnam wybrać tę lawendową". A potem co jakiś czas rozwodzi się nad tym spostrzeżeniem. Wtedy włącza się znowu „Mogłam" i przyznaje jej rację: „Oczywiście, moja droga, naprawdę mogłaś włożyć tę lawendową. Byłaby bardziej odpowiednia tak na popołudniową herbatę, jak i na lunch". Wiadomo przecież, że niebieska sukienka pasuje tylko do herbaty.

Prawdopodobnie już wiesz, dokąd zmierzam. Spróbuj zanotować w pamięci, jak często wygłaszasz podobne zdania: „Powinnam zrobić tak. Mogłam zrobić inaczej". Na własne życzenie urządzamy sobie taki psychiczny pokaz braku akceptacji i zrozumienia dla swoich wyborów. Gdy sytuacja rozwija się wbrew naszym oczekiwaniom, często postrzegamy rzeczy zupełnie inaczej niż w chwili podejmowania decyzji.

Zamiast rozwodzić się nad tym, co powinnaś lub mogłaś zrobić, powiedz sobie tak: „To doświadczenie wiele mnie nauczyło. Gdy następnym razem stanę w obliczu podobnych okoliczności, zrobię wszystko inaczej. Ale teraz muszę przyjąć rzeczy takimi, jakie są".

Zadawanie sobie pytań może być bardzo uzdrawiającym etapem procesu dorastania. W końcu codziennie podejmujemy tysiące decyzji, które dotyczą nas i naszego otoczenia. Jeśli nadarzy się więc okazja i pojawią się podobne okoliczności, możesz z powodzeniem dokonać innego wyboru niż poprzednio. Lecz jeśli będziesz żałować swoich wyborów i bez przerwy je rozpamiętywać, to znaczy, że nie dorastasz, a tylko życzysz sobie, by wszystko było inne, niż jest w rzeczywistości. Bywają takie chwile, gdy wiemy, że mogłyśmy zrobić coś całkiem inaczej. Lecz zamiast rozwodzić się nad tym, czego i tak już nie możemy zmienić w swojej przeszłości, musimy po prostu poczuć, że nauczyłyśmy się czegoś nowego.

Tak więc, gdy następnym razem przyłapiesz się na rozpamiętywaniu minionych możliwości, zrozum, że to niemądre i daj sobie spokój, dziewczyno! Pamiętaj, że „Powinnam" i „Mogłam" nie liczą na wiele, więc rusz z kopyta. Dołóż wszelkich starań i zrób krok do przodu. Możesz się wiele nauczyć na błędach, których jesteś świadoma, i następnym razem dokonać innego wyboru.

11

Ogranicz mieszanie tylko do garnków z obiadem

„Mieszaczka" to osoba, która zamiast smacznej zupy przyrządza coś zupełnie innego – wiecznie porusza temat spraw emocjonalnych, które zostały już przedyskutowane, rozwiązane i odchodzą w zapomnienie. „Mieszaczka" pragnie sycić się emocjonalnym ogniem i podtrzymywać go w nieskończoność, by płonął dla samego ekscytowania się konfliktem, co nie ma nic wspólnego z chęcią niesienia pomocy. Takie osoby potrafią być bardzo subtelne i często jawią się jako „służące pomocą" przyjaciółki lub „uważne i troskliwe" słuchaczki.

Oto przykład. Twoja przyjaciółka Joyce zwierza ci się z pewnego problemu: dowiedziała się właśnie, że mąż ją oszukuje. Jest zdenerwowana i, co zrozumiałe, szuka u ciebie pocieszenia. A ty, oczywiście, cała zamieniasz się w słuch. Mija czas. Rozmawiacie bez przerwy o mężu Joyce i o tym, jaki z niego drań. A potem, wiele miesięcy później, twoja przyjaciółka i jej mąż Bruce chodzą na terapię, próbując odbudować swoje małżeństwo i zaufanie Joyce. I wtedy zdarza się coś zabawnego. Pewnego dnia spotykasz Joyce, a ona jest uśmiechnięta. Pytasz, jak jej się układa z Bruce'em, a ona odpowiada, że jest dużo lepiej. Mówisz: „Jak to możliwe, że mu ufasz, kiedy wychodzi z domu?" Tym pytaniem przekraczasz granicę między oddaną przyjaciółką a emocjonalną „mieszaczką".

Takie „mieszanie" może również przyjmować bardziej delikatne formy. Nie chodzi przecież wyłącznie o wielkie sprawy, takie jak niewierność. Pojawia się zawsze wtedy, gdy zachęcamy kogoś do dyskusji o problemach, które zmierzają już do szczęśliwego rozwiązania. Zdarza się tak właśnie wtedy, gdy mówimy: „Nie zostawiaj tego w ten sposób! Dlaczego chcesz to zrobić? Tak jest o wiele zabawniej!"

Daj więc sobie spokój z drobnymi sąsiedzkimi konfliktami, zwłaszcza wtedy, gdy przychodzi do ciebie inny sąsiad i bez przerwy opowiada, jak nieznośna jest osoba, z którą się pokłóciłaś. W ten sposób sprawia bowiem, że coraz głębiej zanurzasz się w swojej irytacji. Tak samo dzieje się w pracy. Koleżanka bez przerwy przypomina ci, że to właśnie ty, a nie Gail, zasłużyłaś na premię za tę świetną koncepcję. Za każdym razem, gdy to mówi, żołądek podnosi ci się do gardła, a twoja rana zaczyna na nowo krwawić.

Sztuka polega na tym, byś umiała rozpoznać „mieszaczkę" i sama ograniczyła „mieszanie" tylko do garnków z obiadem. Jeżeli ktoś zachowuje się wobec ciebie w taki sposób, potraktuj to jako przykry zwyczaj, który nie jest w stanie ci zaszkodzić, chyba że sama zainicjujesz rozmowę lub do niej zachęcisz. Aby uwolnić się od takiego „mieszania", wystarczy zrobić bardzo prostą rzecz. Musisz przypomnieć sobie, że już się pozbyłaś problemu, i powiedzieć to jasno i wyraźnie.

Oczywiście nie ulega wątpliwości, że pokusa „mieszania" jest naprawdę ogromna. Sama muszę się przyznać, że „mieszałam" w kilku garnkach, które nie miały nic wspólnego z obiadem. Jednak takie zachowanie nie leży w niczyim interesie. Powoduje niepotrzebny gniew i stresy. Uświadom więc sobie, że „mieszanie" nie sprzyja spokojowi twojego ducha, a także pomyślnemu rozwiązaniu problemów. To tak, jakbyś celowo postanowiła zbyt mocno podgrzać wieczorny posiłek. Zostanie ci z tego tylko przypalona zupa!

12

Mów z miłością

Czy jesteś jedną z tych dobrych, cierpliwych dusz, które nigdy nie tracą zimnej krwi i nie wybuchają niczym gorący wulkan? Czy zawsze odzywasz się do swoich dzieci, męża i przyjaciół z ciepłym, serdecznym spokojem płynącym z głębi twojego serca? Jeśli odpowiesz twierdząco na te pytania, pomiń ten rozdział i przejdź do następnego. Jeśli nie, czytaj dalej.

Jeżeli chcesz znaleźć klucz do takiej serdeczności i ciepła w rozmowie z bliskimi, musisz najpierw odnaleźć i uszanować swoją miłość, a potem zdać sobie sprawę z tego, kiedy nie reagujesz tak, jak byś chciała. Jeśli masz dobry kontakt ze swoim sercem, to czujesz się związana z innymi ludźmi i masz dostęp do swojej mądrości. Możesz zbadać każde uczucie, które wypływa z tego miejsca, tak cichego, spokojnego, pełnego współczucia i zrozumienia. To właśnie w tym miejscu zbierają się łzy radości, gdy patrzysz na bawiące się dziecko. To właśnie stamtąd pochodzą wszystkie twoje emocje. Jeśli jednak nie masz kontaktu ze swoim sercem, rozmowa o najprostszych, najbardziej błahych sprawach (na przykład o tym, kto wyniesie śmieci) staje się często problematyczna i stresująca.

Dlaczego więc czasem jest nam wszystkim tak trudno być w zgodzie z tą najważniejszą, najbardziej znaczącą częścią naszego jestestwa – z naszą miłością – i rozmawiać z bliskimi, mając ją za przewodnika? Nasze ego, emocje i przyzwyczajenia do pewnych reakcji sprawiają, że mamy problemy, by mówić z miłością.

A największym wyzwaniem staje się to wówczas, kiedy ogarnia nas złość. Uczucie gniewu może stać się najlepszą wskazówką, by najpierw skomunikować się z własnym sercem, a dopiero potem powiedzieć pierwsze słowo. Zwracaj uwagę na swoje uczucia. Strzeż się tej części swojej osobowości, która każe ci wyzywać, wrzeszczeć i krzyczeć! To oczywiste ostrzeżenie, byś w takiej chwili odetchnęła głęboko i uspokoiła się; nie jesteś wówczas na poziomie swego serca, lecz przygotowujesz się, by wystąpić z pozycji gniewu.

Prawdę mówiąc, najczęściej nie chodzi przecież o to, co mówisz, lecz o uczucia, które wyrażasz słowami. To one są najważniejsze. Te same słowa można wypowiadać różnym tonem w zależności od tego, z jakiego poziomu mówisz i skąd pochodzą twoje uczucia. Na przykład proste stwierdzenie: „Muszę z tobą porozmawiać" może oznaczać dla pary nowy początek albo początek końca związku, a wszystko w zależności od tego, w jaki sposób ta informacja została przekazana.

Najlepszym przykładem, jaki sama mogę przytoczyć, są rozmowy z moimi dziećmi. Przyznaję, że szczególnie trudno mi mówić z miłością, gdy dopieką mi do żywego. Głębia uczuć, jakie żywię do córek, jest jak niewyczerpana studnia miłości, która spływa do każdego nerwu mojego ciała. Zanim więc zacznę mówić, muszę najpierw poczuć tę głębię. W chwili gdy czerpię z tego źródła, próbuję wydobyć odpowiednie słowa ze studni miłości, nawet wtedy, gdy jestem zła lub zmęczona. Kiedy je znajdę, muszę się na chwilę zatrzymać i zadać sobie pytanie: „Mam zamiar mówić z miłością czy z gniewem?" Jeśli ta druga możliwość jest bardziej prawdopodobna, najlepiej zachować spokój i powiedzieć dzieciom, że to nieodpowiednia pora na rozmowę. (A poza tym w trakcie czekania na odpowiedź dzieci mogą już trochę żałować, co przecież nie boli.)

Chociaż zdaję sobie sprawę z tego wszystkiego, bywają chwile, gdy unoszę się zanadto, reagując na poziomie czystych emocji, wypowiadam słowa, których później żałuję. Wtedy po prostu nie pamiętam, że zanim zacznę mówić, powinnam odnaleźć w sobie miłość. Jeśli o tym zapominam i zaczynam mówić z poziomu gniewu lub frustracji, moje słowa poniekąd gubią swój sens. Nic więc dziwnego, że dzieci ich nie słuchają.

Czuję się za to wspaniale, gdy mówię z miłością, gdyż w ten sposób okazuję szacunek temu, co naprawdę jest w moim sercu, nie skażone i nie zagmatwane moim ego. Wyrażam szacunek również wobec osoby, z którą rozmawiam, okazując jej moje najgłębsze zrozumienie. Gdy rozmawiasz z kimś z takiej pozycji, naprawdę nie możesz wyświadczyć mu już większej grzeczności (być może oprócz słuchania z miłością). A zatem pamiętaj – gdy następnym razem popadniesz z kimś w konflikt, poszukaj czułego miejsca w swym sercu i mów z miłością.

13

Słuchaj z miłością

Jak już stwierdziłyśmy w poprzednim rozdziale, miłość ma swoje miejsce w sercu i właśnie z tego miejsca powinnyśmy nie tylko mówić, lecz również słuchać. I to słuchać niedefensywnie. A dzieje się tak wówczas, gdy nie masz kontaktu ze swoim sercem, lecz tylko z własnym ego, i wszystko, co mówią inni ludzie, wpływa na ciebie bardzo negatywnie. Słowa, które słyszysz, natrafiają na opór ze strony twoich emocji, wywołany przez niepewność, gniew, oburzenie, złość i przygnębienie. Jeśli nauczysz się słuchać z miłością, usłyszysz w tym, co mówią do ciebie inni, brzmienie prawdy lub nieprawdy, gdyż jesteś w tym momencie związana ze swoją duszą.

Gdy dwoje ludzi prowadzi szczerą, serdeczną rozmowę, mówimy, że rozmawiają ze sobą „od serca". Oboje mają wówczas otwarte serca i są pełni zaangażowani bez względu na to, o czym mówią, odłączając się jednocześnie od poziomu ego. Jest to najbogatsza i najbardziej zadowalająca forma komunikacji, lecz podstawowym warunkiem sukcesu rozmowy „od serca" jest słuchanie z miłością. Kiedy zaczyna przeważać twoje ego, reagujesz zbyt szybko, przyjmujesz postawę defensywną i rozmowa się kończy.

Pamiętam pewien kluczowy i być może decydujący moment w moich stosunkach z Richardem, gdy porozmawialiśmy ze sobą „od serca". Było to kilka lat temu i teraz, z perspektywy czasu, cieszę się, że nasza rozmowa okazała się rozmową „od serca", ponieważ niekoniecznie została właśnie tak zaplanowana. Richard przyszedł do mnie, sfrustrowany wieloma sprawami w naszym małżeńskim pożyciu. Chociaż byłam zdziwiona jego odczuciami, jakiś wewnętrzny głos ostrzegł mnie, że mój mąż właśnie w tej chwili chce zostać wysłuchany i że lepiej będzie, jeśli posłucham, co ma do powiedzenia. I wtedy na szczęście przypomniałam sobie o miłości, jaką go darzę, więc mogłam wysłuchać jego słów niezależnie od mojego ego. Słuchałam z miłością, a on się uspokoił, ponieważ czuł się słuchany. Usłyszałam nieco prawdy (w każdym razie przynajmniej pięćdziesiąt procent), a potem przedyskutowaliśmy problemy, które poruszył. Myśleliśmy przy tym bardzo trzeźwo, nie traciliśmy głowy i nie popadaliśmy w defensywność.

Gdy dwoje ludzi rozmawia ze sobą szczerze i serdecznie, zawsze dzieje się coś magicznego. Problemy, które dotychczas powodowały emocjonalny dystans, przestają właściwie istnieć i w rezultacie zbliżają do siebie parę, która buduje jeszcze głębszą intymność. I wtedy konflikt jest w zasadzie zażegnany,

Natomiast bardzo często mamy trudności w słuchaniu „od serca", kiedy jesteśmy w pracy. Prawdopodobnie myślisz sobie, że gdybyś w ten sposób słuchała, traktowano by cię jak łatwego przeciwnika. Nic bardziej błędnego. Kiedy słuchasz „od serca", twoja mądrość daje o sobie znać bardzo energicznie i zaczynasz wszystko lepiej rozumieć. Granice, które wytyczasz ludziom, sprawdzają się o wiele lepiej, jeśli wywodzą się z właściwego miejsca. I, powiedzmy to sobie szczerze, w pracy również są możliwości, by odsunąć na bok swoje ja, gdyż komunikacja oparta na takim podejściu jest niezmiernie konfliktowa i mało twórcza.

Gdy więc następnym razem znajdziesz się w środku jakiegoś konfliktu, ćwicz mówienie z miłością i nie zapominaj, by tak samo słuchać. Odsuń na bok swoje ego i rozmawiaj „od serca". Z sytuacji, która mogłaby przynieść ci ból, wyniesiesz same pozytywne uczucia.

14

Patrz w lustro

Czyż nie jest łatwiej dostrzec czyjeś winy i emocjonalne słabości niż własne? Wszyscy mamy bowiem wbudowany pewien naturalny mechanizm, który wskazuje nam właściwy kierunek, gdy próbujemy precyzyjnie określić swoje winy.

Może jakaś prezenterka telewizyjna, koleżanka lub siostra zachowuje się w sposób, który cię irytuje? A może denerwuje cię jej styl ubierania? Albo nie podoba ci się jej perfekcjonizm lub jakaś inna cecha osobowości? Istnieje prawdopodobieństwo, że to są właśnie te rzeczy, których nie lubisz u siebie. Przyjrzenie się w lustrze odbiciu swojego wnętrza wymaga ogromnej odwagi i wnikliwości, ponieważ jesteśmy naprawdę niezrównane w ukrywaniu tego wszystkiego, co wydaje się zbyt bolesne, aby to zaakceptować.

Załóżmy, że rozmawiasz ze swoją najlepszą przyjaciółką. Mówisz, że uważasz waszą wspólną znajomą za maniaczkę zakupów. Spotykasz ją za każdym razem, gdy wychodzisz po zakupy, a z tego wniosek, że ona musi robić to częściej niż ty. (W tym momencie przyjaciółka myśli: „Nie sądzę, żeby tak było".) Później, gdy twój mąż kuli się ze strachu nad kolejną kartą kredytową, która jest dla was zbyt dużym obciążeniem finansowym, próbujesz sobie wmówić, że panujesz nad wszystkim dużo lepiej niż znajoma, z której wcześniej drwiłaś. To najwyższy czas, by spojrzeć w lustro.

Nie możesz dostrzec u kogoś jakiejś irytującej cechy, dopóki sama jej nie posiadasz. Nie chodzi przecież o tę osobę, bo to nie ona ma cię czegoś nauczyć. W ten sposób funkcjonujemy jako stałe wzajemne lustrzane odbicia. Ironia polega na tym, że im bardziej wzbraniasz się przed czymś, co widzisz u kogoś innego, tym bardziej musisz zajrzeć w głąb siebie, by poszukać tej samej cechy. Może być zamaskowana, ale na pewno tam jest. To proces rozwoju; kiedy już zobaczysz tę cechę, możesz coś zmienić i pozbyć się jej.

Cóż, to bardzo powszechne zachowanie; najpierw zwracamy uwagę na to, co nie podoba nam się u innych, a dopiero potem spoglądamy w lustro i przyznajemy, że dostrzegamy u siebie te same wady. Pamiętajmy jednak, że nie wszystko jest stracone, gdyż przeciwna sytuacja również się tutaj sprawdza. Gdy stwierdzasz, że inna osoba posiada tak wspaniałe cechy, jak współczucie, wrażliwość, uczciwość czy prawość, sama najprawdopodobniej zaczniesz wyznawać takie same wartości.

Sedno sprawy polega na tym, że żadna z nas nie ma tego „wszystkiego" równocześnie. Jest więc dużo łatwiej dojrzeć niedostatki i słabości u innych, niż przyznać się do nich przed sobą. Jeśli ośmielisz się spojrzeć w lustro, zobaczysz wyraźnie samą siebie i to, co dają ci myśli o innych ludziach, staniesz się jeszcze bardziej współczująca i zdolna do wybaczania. A jeszcze lepiej, jeśli cenisz sobie także osobisty rozwój i własne perspektywy, gdyż to zaprowadzi cię na nowe szczyty świadomości. A w lustrze zobaczysz odbicie zrozumienia i miłości, którymi obdarzasz siebie samą i innych. Na tej planecie nie ma osoby doskonałej. Lecz moja ulubiona sentencja mówi, że wszyscy jesteśmy doskonali w swojej niedoskonałości, po prostu tacy, jacy jesteśmy.

15

Podążaj za zakrętami i zwrotami

Być może to prawda, że potrafimy zaplanować każdy aspekt swojego życia, lecz od czasu do czasu dostajemy zakręconą piłkę, której wcale nie było w naszych planach. Niekiedy życie potrafi być nieprzewidywalne. Czujesz się wówczas, jakbyś zjeżdżała po równi pochyłej, nie mając większego wpływu na rezultaty niektórych wydarzeń. I czasami to, co z pozoru wydaje się negatywne, może się okazać pierwszym krokiem do twojego sukcesu.

Często słyszymy jakąś wspaniałą i budującą historię, która zaczyna się od słów: „Trafiłem na ten interes zupełnie przypadkowo". Zapamiętaj to. Jeśli patrzysz na życie jak na szkołę, w której czeka cię odrobina przygody, i wierzysz, że wszystko skończy się dobrze, możesz potraktować zakręty i zwroty w swojej biografii jako część szerszego planu.

Gdy już zaczniesz je dostrzegać – te wszystkie zaskakujące zdarzenia i okoliczności, które wynikają z przyczyn, których jeszcze nie jesteś świadoma – zdasz sobie sprawę, że wszystko, co się dzieje, jest częścią doskonałego planu życia opracowanego specjalnie dla ciebie. Jednak nie zawsze będziesz całkowicie pewna celu tych nie zaplanowanych, pozornie chybionych w czasie wydarzeń. Masz wtedy wybór: możesz pogrążyć się w smutku, przygnębieniu i rozpamiętywaniu nieszczęścia albo ruszyć do przodu i zachować optymizm, wierząc, że od tej chwili może być tylko lepiej. Zamiast spoglądać do przodu lub do tyłu i spodziewać się najgorszego, skoncentruj się na teraźniejszości, abyś mogła otworzyć się na wszelkie okazje, które się nadarzą.

Gdy oglądam się za siebie, widzę jasno, że zakręty i zwroty, których pełne było moje życie, skończyły się dobrze. Kiedyś, gdy mieszkałam w akademiku w Pepperdine, na naszym piętrze wybuchł pożar. Nikt nie został ranny, lecz ja i siedem moich koleżanek straciłyśmy wszystkie rzeczy, które przywiozłyśmy do szkoły. W tamtych czasach to było wszystko, co posiadałam. Podczas gdy inne dziewczyny kompletnie się załamały, ja – rzecz zastanawiająca – nawet się nie zdenerwowałam. Czułam, że wszystko skończy się dobrze, chociaż miałam tylko jedno ubranie, sto dwadzieścia siedem dolarów na koncie, a za trzy tygodnie czekały mnie egzaminy końcowe!

Co ciekawe, gdy zadzwoniłam do rodziców, by przekazać najnowsze wieści, tato poinformował mnie o jeszcze jednym zwrocie w naszym życiu: właśnie stracił pracę. Wtedy z pewnością nie wydawało mi się, że to wszystko zdarzyło się w najodpowiedniejszym czasie. Lecz jak się później okazało, pieniądze z ubezpieczenia starczyły na odkupienie wszystkich rzeczy, które straciłam w pożarze, a ponadto na zapłacenie czesnego za następny rok. Gdyby nie wybuchł pożar, musiałabym opuścić szkołę i wrócić do domu z powodu braku funduszów na kontynuowanie nauki.

Nigdy nie wiesz, kiedy stracisz pracę lub chłopaka ani co tak naprawdę czeka cię w życiu. Możesz przecież jeszcze osiągnąć szczyt kariery zawodowej, znaleźć inną pracę, która odmieni twoją sytuację finansową, lub spotkać mężczyznę swego życia. Życie ma bowiem w sobie element przygody i nie zawsze wiadomo, co zdarzy się później. A to, co się zdarzy, może być o wiele wspanialsze od twojego pierwotnego planu. Jeśli chcesz znaleźć klucz, by cieszyć się tą podróżą, otwórz się na to, co nieznane.

16

Miej przyjaciółkę od piersi

Po raz pierwszy przyszło mi to do głowy podczas Tygodnia Walki z Rakiem Piersi i mówię wam, że to działa! Sama sprawdziłam! Czasami trudno jest postępować zgodnie z zaleceniami lekarza, a przyjaciółka od piersi może pomóc nam w przejściu przez badania, na które nie czekamy z radością.

Dwa lata temu lekarz poprosił mnie, żebym poszła na mammografię. Czy to zrobiłam? Nie. Poprosił mnie o to również w zeszłym roku i znowu odłożyłam sprawę na później. Niedawno zadzwoniła do mnie przyjaciółka i powiedziała, że wyczuła guzek w piersi i w związku z tym musi zrobić mammografię. Cóż, naprawdę chciałam jej pomóc, więc zadzwoniłam do radiologa i poprosiłam o wyznaczenie wizyty. Wyjaśniłam, że muszę przyjść w tym samym czasie co moja koleżanka, ponieważ jesteśmy przyjaciółkami od piersi. Rejestratorce bardzo się to spodobało i znalazła dla mnie miejsce.

Pojechałam po przyjaciółkę. Obie byłyśmy trochę zdenerwowane; ciągle słyszy się przecież te wszystkie okropne historie. A szczerze mówiąc, zastanawiałyśmy się, czy mamy wystarczająco dużo tkanki piersiowej, którą można prześwietlić. Cóż, i jeszcze jedno; nie zapomnij spojrzeć w dół, gdy twoja pierś jest spłaszczona jak naleśnik. Dzięki temu zobaczyłam te swoje skromne zasoby z zupełnie nowej perspektywy!

W każdym razie rozebrałam się i weszłam pierwsza, przecierając szlak mojej przyjaciółce. A w tym samym czasie ona się zastanawiała, dlaczego przez cały czas się śmieję. Całe badanie zabrało nam obu mniej więcej pięć minut i było całkowicie bezbolesne. A najwspanialsze było to, że guzek mojej przyjaciółki okazał się zupełnie normalną tkanką; jakiż konkretny powód do świętowania! Potem poszłyśmy na wspaniały lunch i gdy śmiałyśmy się z naszych przeżyć, przyjaciółka powiedziała mi, że doskonale wiedziałam, jak z czegoś naprawdę nieprzyjemnego zrobić świetną zabawę.

A więc raz do roku umów się ze swoją najlepszą przyjaciółką na mammografię. To wspaniały sposób, by razem zrobić coś potencjalnie nieprzyjemnego i wspierać się wzajemnie w ciężkich chwilach.

17

Twórz wspomnienia dla swoich dzieci

Życie jest po brzegi wypełnione sprawami, które trzeba załatwić. Możemy łatwo zagubić się w zadaniach codzienność, przeskakując z jednej rzeczy na drugą. Wydaje się, że nasze dzieci zbyt szybko tracą swoje dzieciństwo wskutek naszych wysiłków, by sprostać żądaniom tego zagonionego i zapracowanego świata.

Aby trochę zwolnić, opracowałam pewną strategię, która pomaga mi myśleć kategoriami tworzenia wspomnień dla moich dzieci. Często należy zadawać sobie takie pytanie: „Jak moje dzieci mają zapamiętać swoje dzieciństwo? Czego tak naprawdę dla nich chcę?"

Bez względu na to, czy jesteś mamą pracującą zawodowo, czy opiekującą się dziećmi w domu, czy jedno i drugie naraz, to właśnie na tobie najczęściej spoczywa zadanie wprowadzenia pewnych domowych tradycji i rytuałów. Najlepszą porą na tworzenie takich wspomnień są wakacje.

W naszej rodzinie tą najbardziej wyjątkową dla kultywowania tradycji porą jest okres Bożego Narodzenia. Tak samo było w domu moich rodziców, w którym dorastałam. Pamiętam pasterki, kolędowanie w domu dziadków, pieczenie ciastek i ubieranie choinki. Inne rodziny postępowały w tym czasie zgodnie z tradycjami związanymi z ich religią. Bez względu na wyznanie czy pochodzenie odtwarzaj tradycje, których przestrzegali twoi rodzice, by ocalić w nich swoje wartości i bezcenne wspomnienia.

Każdego roku jedziemy całą rodziną na plantację drzewek i wybieramy choinkę. Potem wracamy do domu, włączamy kolędy i stroimy ją, popijając gorącą czekoladę. Dzień Bożego Narodzenia spędzamy z kuzynami i dziadkami.

Oprócz świąt miej na względzie również zwyczajne rzeczy, które będziecie robić w trakcie weekendów. Wspólne wędrówki nic nie kosztują, a piesze wycieczki są znakomitą okazją do poznawania natury. Moje dzieci zawsze biorą ze sobą plecaki i z radością zbierają do nich wszystko, co znajdą po drodze. Po powrocie do domu tworzą z tych rzeczy przepiękne kompozycje plastyczne. To samo robimy wiosną, gdy wędrujemy szlakami traszek, wypatrując po drodze małych jaszczurek, które wychodzą po deszczu ze swoich kryjówek, albo gdy szukamy dzikich kwiatów.

Kiedy następnym razem twoje dzieci wrócą do domu w zabłoconych butach i brudnych ubraniach, zanim wpadniesz w zły humor z powodu dodatkowej pracy, której ci przysporzyły, pomyśl o zabawie, jaką miały. Buty i ubrania można zastąpić innymi; wspomnienia są niezastąpione.

„Wieczorne gry" to również świetna zabawa. Graj ze swoimi dziećmi w Monopol, Grzybobranie albo w domino. Dzieci uwielbiają takie rzeczy. Nic nie sprawi im większej przyjemności niż wspólna zabawa przy kominku lub czytanie bajek. Nie robisz tego przecież sama ani dla siebie – robicie to wspólnie jako rodzina. Jestem przekonana, że dzieci lepiej pamiętają uczucia towarzyszące wspólnie spędzonym chwilom niż konkretne zabawy. Baw się więc, bądź pełna entuzjazmu i twórz dobre rodzinne uczucia.

Gdy twoje dzieci dorosną, odnajdą sposób, by odtworzyć te niezapomniane momenty. Świetnym rozwiązaniem jest prowadzenie pamiętnika, który pomoże im w zapamiętaniu wszystkich zdarzeń, które w nim opisałaś.

Dzieciństwo szybko mija, więc mamy niewiele czasu. Jeśli stworzysz wspomnienia dla swoich dzieci, znajdziesz radość i spełnienie, wiedząc, że ofiarowałaś im najcenniejszy dar.

18

Bądź refleksyjna

Refleksja oznacza bogactwo duchowe. To uznanie faktu, że w naszym życiu jest miejsce na rozwój i zmiany i że można osiągnąć coś dzięki doświadczeniu, które zdobywamy. Refleksyjny umysł dostrzega możliwości, szuka nowych znaczeń i sposobów postępowania, zwłaszcza jeśli coś nie dzieje się tak, jak zaplanowałyśmy. Chciałabym podzielić się z tobą moimi spostrzeżeniami i powiedzieć ci, jak w prosty sposób stać się bardziej refleksyjną oraz jak dzięki takiemu postępowaniu łatwiej dostrzegać rozwiązania problemów.

Przede wszystkim musisz się nauczyć wyciszać swój umysł. Możesz to robić na wiele sposobów. Najpierw pozbądź się wszelkiego hałasu i uspokój skołatane myśli. Osiągniesz to dzięki spokojnym ćwiczeniom, medytacjom, modlitwie lub jakiemukolwiek innemu działaniu, które podejmiesz w ciszy i samotności. Kiedy tylko wyciszysz się i otworzysz na refleksyjne myślenie, zaczną pojawiać się odpowiedzi, których szukasz.

A co wyniknie z tego, że staniesz się bardziej refleksyjna? Bardzo wiele!

Osoba refleksyjna otwiera się na swój wewnętrzny świat i rozpoczyna największą przygodę, jaką ofiarowuje jej życie – poznawanie i rozumienie siebie. Refleksyjność pozwala nam również najefektywniej wykorzystać dar kobiecej intuicji i jest kamieniem węgielnym rozwoju osobistego. Świadomość, że twój własny mózg posiada klucz do twojego zdrowia psychicznego i dobrego samopoczucia, jest naprawdę ekscytująca, a poza tym daje ci nadzwyczajną siłę i wolność. Dzięki osobistym refleksjom możesz zmienić samą siebie, sprawić, by twoje życie było lepsze i szczęśliwsze, a tym samym oddziaływać pozytywnie na innych ludzi. Refleksyjne myślenie pomoże ci we wszystkich aspektach życia. Jest również świadectwem wielkiej pokory. Dzięki temu każdy twój związek odniesie korzyść z twojej zdolności do rezygnacji z własnego ja oraz z odwagi, by ocenić, w jakim stopniu przyczyniłaś się do powstania swoich problemów.

Jestem pewna, że słyszałaś to powiedzenie, a może sama zacytowałaś je raz czy dwa: „Każdy kij ma dwa końce". Osoba, która nie potrafi myśleć refleksyjnie, traci zdolność widzenia swojego udziału w zaistniałym konflikcie. Prawdę powiedziawszy, ma wręcz trudności w kontaktach i związkach z innymi ludźmi. Nie jest otwarta na wysłuchanie jakiejkolwiek prawdy, co sprawia, że rozmowa z nią jest całkowitą stratą czasu i energii.

Pamiętaj więc, by w ciągu dnia znaleźć czas na refleksyjne myślenie. Potrzeba ci do tego ciszy i samotności. Nawet piętnaście minut spędzonych w ten sposób może otworzyć przed tobą nowy świat.

Rozwijaj swój refleksyjny umysł, stawiając sobie pytania, gdy jesteś spokojna i wyciszona. Z pokorą zapytaj samą siebie, czy istnieje jakikolwiek inny sposób spojrzenia na problem, który pomoże ci w rozwoju osobowości lub sprawi, że twoje życie będzie odrobinę łatwiejsze i bardziej efektywne. Przypuszczam, że będziesz zadziwiona możliwościami, które się przed tobą otworzą, i odpowiedziami, które znajdziesz!

19

Pogromcy stresów

Wszystkie miewamy złe dni, kiedy jesteśmy wyczerpane, przygnębione i zestresowane. Chciałabym przedstawić ci kilka sposobów, które pomagają mi radzić sobie z takimi trudnościami i nie przejmować się drobiazgami. Mam nadzieję, że pomogą również i tobie.

- Rano lub wieczorem poświęć przynajmniej dziesięć minut ze swojego cennego czasu i spędź je w całkowitym spokoju. Usiądź wygodnie z filiżanką kawy lub herbaty albo zamknij oczy i posłuchaj cichej, kojącej muzyki. A jeszcze lepiej, pomedytuj, pomódl się lub po prostu głęboko pooddychaj. Jeśli masz dzieci, wstań trochę wcześniej albo zrób to, gdy już zasną. Ten rytuał da ci odrobinę zasłużonego wytchnienia i zwolni szaleńcze tempo, które ciągle ci towarzyszy.

- Weź długą, gorącą kąpiel, a potem umyj włosy i spłucz głowę zimną wodą. To jeden z najprostszych i najbardziej odświeżających sposobów przywracania utraconej energii. Różnica pomiędzy zimną wodą spływającą po twojej głowie a ciepłą, w której zanurzone jest ciało, przynosi zadziwiające efekty. Bez względu na to, jak bardzo jestem zmęczona, po takiej kąpieli mogłabym przenosić góry.

• W te dni, gdy moje dzieci szaleją i nie dają się poskromić, zamiast reagować impulsywnie i zbyt gwałtownie, mówię: „Mama robi sobie przerwę!" I rzeczywiście ją robię. Zostawiam dzieci i proszę, żeby nie doprowadziły się wzajemnie do kalectwa (czego i tak nigdy nie próbowały).

• Zdobądź się na wysiłek fizyczny. Niemal każdego dnia biegam, jeżdżę konno, wędruję, ćwiczę albo podnoszę ciężary. Nawet jeśli mnie czas goni, zawsze wcisnę gdzieś w moim rozkładzie dnia jedno lub dwa z tych zajęć. Wynoszę z tego nie tylko znakomite korzyści fizyczne, lecz także zdrowie psychiczne i jasność umysłu, które są niezastąpione.

• Od czasu do czasu zatrać się w jakiejś dobrej książce. Nawet jeśli możesz poświęcić na czytanie tylko dwadzieścia minut przed snem, stwierdzisz, że to niezwykle relaksująca ucieczka, która z pewnością bije na głowę wieczorne programy mające zmniejszać stres.

• Jeśli zbyt długo siedzisz przy komputerze lub przy biurku, twoja szyja i mięśnie karku robią się bardzo napięte i zmęczone. Przerywaj więc pracę mniej więcej co godzinę, wstań, powoli zegnij plecy i sięgnij rękami do stóp, mając przez cały czas wyprostowane kolana. Potem wyprostuj się powoli i wyciągnij ręce wysoko w górę. Powtórz ćwiczenie.

- Zastanów się, czy jednym z powodów twojego stresu nie jest brak równowagi fizycznej. Trudno czuć się szczęśliwą i zadowoloną, gdy twój organizm jest zatruty. Kiedy tak się czuję, robię sobie „hulankę zdrowia". Przynajmniej przez trzy dni oczyszczam organizm, jedząc „żywe" (to znaczy świeże) owoce, warzywa i pijąc soki. To pomaga mi przerwać cykl niezdrowych przyzwyczajeń żywieniowych, którym oddawałam się przez jakiś czas, i zachować rozsądne podejście do zasad zdrowego żywienia.

Powyższe techniki relaksacyjne są bardzo proste i niezwykle skuteczne. Codzienne korzystanie z jednej czy z dwóch opcji może w zasadniczy sposób zmniejszyć poziom twoich stresów. Zachęcam cię, żebyś je wypróbowała. Stwierdzisz wówczas, że nieprzejmowanie się drobiazgami jest znacznie łatwiejsze, niż myślałaś.

20

Może to nic osobistego

Jeśli istnieje jakaś wspólna cecha dla większości kobiet, to jest nią z pewnością nasza wrażliwa natura. Towarzyszy jej zazwyczaj tendencja do przypisywania różnych znaczeń i motywów zachowaniu i postępowaniu innych ludzi. Tutaj nasuwa się pewna myśl; zamiast natychmiast reagować, weź pod uwagę – przynajmniej przez chwilę – że to, co się dzieje, nie ma naprawdę nic wspólnego z tobą. Może po prostu zaufałaś błędnym myślom i uczuciom, co osłabiło twoje zdolności postrzegania, i nie potrafisz przyznać sama przed sobą, że to nic osobistego. Pozwól, że przedstawię teraz kilka scenariuszy, które prawdopodobnie nie są ci obce.

Masz znajomą, którą poznałaś w szkole, do której chodzą twoje dzieci. Za każdym razem, gdy ją spotykasz, ona nawet cię nie zauważa. Prawdę powiedziawszy, patrzy na ciebie jak na powietrze. Zaczynasz czuć się nieswojo i myślisz: O co jej właściwie chodzi? Wściekasz się, ponieważ ona najwidoczniej uważa, że jest lepsza od ciebie. Ale czy pomyślałaś, że jej rezerwę można wytłumaczyć w bardzo prosty sposób? Może jest krótkowidzem. Może nie nawiązuje kontaktu wzrokowego, ponieważ nie ma czasu na nowe znajomości. Albo ma na głowie mnóstwo innych spraw. Może myśli o tobie w ten sam sposób. I może po prostu to nic osobistego.

Twój mąż wraca do domu i jest w złym humorze. Przez cały dzień denerwował się i zmagał z jakimiś kłopotami. Ty miałaś z kolei swoje problemy i oczekujesz ciepłego, entuzjastycznego przywitania. On wycofuje się jednak do swojego gabinetu i mruczy pod nosem, że nie jest głodny i nie będzie jadł obiadu, ponieważ ma jeszcze mnóstwo pracy. Muszę mówić dalej? Zamiast wybuchać i doprowadzać do nieprzyjemnej konfrontacji, weź pod uwagę możliwość, że to nic osobistego. On ma po prostu zły dzień.

Traktowanie wszystkiego w taki osobisty sposób powoduje tylko niepotrzebne frustracje, a nasza reakcja zbija z tropu innych ludzi. Tymczasem jest to jedynie chwilowe połączenie poczucia własnej wartości z działaniami i pobudkami innej osoby.

W takich wypadkach bardzo pomocne okazuje się spojrzenie z szerszej perspektywy. Potrzebujemy jedynie trochę więcej instynktu samozachowawczego i wyższej samooceny. Musimy skończyć ze zbyt emocjonalnymi reakcjami wywołanymi pośpiesznymi ocenami i założeniami. Zatem gdy następnym razem zdenerwuje cię jakaś osoba lub sytuacja, pamiętaj, by powiedzieć sobie: „Może to nic osobistego! A jeśli nie, to co wtedy?"

21

Nie pozwól, by rodzina wykręcała się od obowiązków

Zadzwoniła do mnie sfrustrowana przyjaciółka i powiedziała, że czuje się jak wół roboczy! Pragnęła, aby jeszcze ktoś z członków jej rodziny przejawił jakąkolwiek inicjatywę i włączył się do domowych obowiązków. To słuszna prośba, ale niełatwa do spełnienia. Z jednej strony nie chcesz przecież, aby twoja rola majordomusa została zagrożona, a z drugiej może ci się wydawać, że nie potrafisz sprostać domowym wymaganiom. (To wszystko bzdury. Oczywiście, że potrzebujesz pomocy! Jesteś sama jedna wobec rodzinnej większości). Aczkolwiek jeśli jesteś chociaż trochę podobna do mnie, to zawsze wolisz „zrobić to sama", niż bezskutecznie prosić kogoś innego.

Cały problem z mentalnością typu „zrobię wszystko sama" tkwi w tym, że gdy twoje dzieci dorosną, nie staną się nagle miłośnikami porządku, a bałagan, który robią, wcale się nie zmniejszy; nabierze tylko „dorosłych" rozmiarów. A co ważniejsze, robiąc wszystko za dzieci, nie dostrzegana i nie doceniana, nie uczysz ich niezależności i odpowiedzialności. Nie przygotowujesz ich do bycia dorosłymi ludźmi. Zanim będą w stanie zaopiekować się kimś w przyszłości, najpierw muszą nauczyć się dbać o siebie.

Nawet jeśli masz to szczęście i możesz pozwolić sobie na cotygodniową pomoc w sprzątaniu, codzienne porządki są konieczne, aby dom funkcjonował właściwie. Najlepszy sposób to zebrać całą rodzinę i obwieścić: „Mama zwołuje oddział. Buntownicy nie dostaną nowych ubrań do szkoły ani innych rzeczy!" (tutaj określ, co oznaczają te „inne rzeczy"). Nie zrobisz dzieciom krzywdy, jeśli powiesz, czego od nich oczekujesz. Potem wręcz im listę prac domowych i wyjaśnij, że twój plan polega na comiesięcznej rotacji, która da im szansę sprawdzenia się w różnych formach utrzymania czystości w domu. Możesz rozważyć, czy dać im za to kieszonkowe, chociaż osobiście uważam, że dzieci powinny bezinteresownie wykonywać swoje obowiązki, a pieniądze dostawać na zabawki i rozrywki.

Aby to nowe zarządzenie przyniosło oczekiwane efekty, ty także musisz się zmienić. Skończ z filozofią „robię to i już", a zamiast niej przyjmij taktykę „zostawiam to tam, gdzie jest, albo wyrzucam do śmieci". Za nie wykonaną pracę musisz z konsekwencją realizować swoje „groźby" (żadnych nowych ubrań do szkoły ani innych rzeczy). Pamiętaj, że stare przyzwyczajenia tak szybko nie umierają, więc odczekaj miesiąc, aż wszyscy się przystosują do nowych warunków. Dzieci są w zasadzie dużo szczęśliwsze, wiedząc, że przyczyniają się do dobrego samopoczucia i pomyślności swojej rodziny, więc robisz im przysługę, włączając je do pomocy.

22

Nie zazdrość

Wydaje się, że większość z nas ma skłonności do zazdrości. W pewnych warunkach zazdrość jest zupełnie naturalną emocją, lecz może być również tak potężna, że porwie cię bez reszty i stanie się twoją obsesją. To ogromnie silne uczucie, które sprawia, że postępujemy i myślimy w sposób, który normalnie nie wchodziłby w rachubę. Jeśli przyznasz, że zmagasz się z zazdrością, zrobisz pierwszy krok, by wyzwolić się z jej ograniczającego, bezwzględnego uścisku.

Paula była świetnym i niezwykle utalentowanym montażystą filmowym. Została nawet nominowana do nagrody za znakomicie przyjęty film dokumentalny. Mogłoby się wydawać, że powinna być pewna siebie i swoich umiejętności, lecz ona była wyjątkowo zazdrosna o efekty pracy innych ludzi ze swojej branży, nawet przyjaciół. Dosłownie nie mogła się zmusić, aby pogratulować znajomym sukcesu, chociaż nie stanowili dla niej bezpośredniej konkurencji.

Po pewnym czasie zarówno bliscy przyjaciele Pauli, jak i inne osoby, które darzyła wielkim szacunkiem, dali jej do zrozumienia, że ma tendencje do zazdrości. Jak to zazwyczaj bywa, prawda okazała się trudna do przełknięcia, zwłaszcza na początku. Jednak po odrobinie uczciwej i szczerej refleksji Paula była w stanie przyznać przed sobą, że w istocie ulega atakom tego zielonookiego potwora.

Zachowując szczerość wobec samej siebie, uświadomiła sobie, że te wszystkie strachy i wybuchy zazdrości ograniczają jej rozwój zawodowy i osobisty. Doszła do wniosku, że zazdrość sprawia, że nie tylko gorzej wygląda, lecz także gorzej się czuje. Postanowiła więc zdobyć się na wysiłek i w przyszłości unikać takich uczuć. Zabrało to trochę czasu, lecz stopniowo stawała się coraz bardziej pewna swoich zdolności i możliwości. Przywiązywała mniejszą wagę do osiągnięć innych ludzi i coraz rzadziej się z nimi porównywała. W rezultacie stała się dużo mniej zazdrosna i, prawdę mówiąc, nauczyła się nawet cieszyć z cudzych sukcesów.

Sposób myślenia typu „dotrzymać kroku Kowalskim" jest powszechną, typową pułapką, od której zaczyna się zazdrość. Sąsiad kupuje nowy samochód i raptem twoje własne auto zaczyna wyglądać nieco staro. Czujesz, że zaczynasz trochę zazdrościć. W tym momencie musisz odpowiedzieć sobie na ważne pytania: Czy reagujesz na tę emocję natychmiastową chęcią wyjścia z domu i kupienia nowego samochodu bez względu na to, czy jest ci potrzebny, czy nie? A może tylko posiedzisz w nim przez chwilę i to wszystko? Czy rozczulasz się nad sobą i wręcz pławisz w tym uczuciu, ponieważ nie możesz sobie pozwolić na nowy samochód? A może spróbujesz cieszyć się szczęściem sąsiada i dać sobie ze wszystkim spokój?

Zazdrość może się okazać wspaniałym nauczycielem i zaoszczędzić ci wielu niepotrzebnych frustracji. W końcu zawsze znajdzie się ktoś, kto ma więcej pieniędzy, ładniejsze włosy, lepiej urządzoną kuchnię albo robi szybszą i wspanialszą karierę. Jeśli poddasz się zazdrości, będziesz jak pies, który goni własny ogon, niezdolna do jakiegokolwiek rozwoju. Jednak gdy będziesz skłonna przyznać się do swoich uczuć, wówczas podejmiesz decyzję opartą na tym, czego naprawdę pragniesz i potrzebujesz ze względu na osobistą satysfakcję. Na dłuższą metę jest to o wiele korzystniejsze.

Umiejętność odczuwania szczęścia z powodu osiągnięć innych ludzi może sprawić, że staniesz się o wiele bardziej spokojna. Mówi się przecież, że taka zdolność jest oznaką zdrowia psychicznego. Kiedy się nad tym dobrze zastanowisz, dojdziesz do wniosku, że zazdrość jest bardzo przygnębiającym uczuciem. Walcz więc z nim, próbuj się go pozbyć, a stwierdzisz, że jesteś osobą szczęśliwą, zadowoloną i spełnioną.

23

Odkrywaj swoje uzdolnienia i dziel się nimi

Wszystkie jesteśmy ulepione mniej więcej z tej samej gliny, chociaż każda z nas ma swój niepowtarzalny zestaw uzdolnień i talentów, które pomagają nam w spełnianiu szczególnych i wyjątkowych celów. Niektóre z nas odkrywają swoje uzdolnienia już w dzieciństwie lub młodości, i w naturalny sposób zostają sportowcami, naukowcami, tancerkami, muzykami lub artystkami. Podczas gdy jednej kobiecie przychodzi to z łatwością, inna może mieć większe trudności w komunikowaniu się ze swoimi uczuciami. Niektóre kobiety rozkwitają po prostu później i stwierdzają, że ich talenty są mniej okazałe; mogą być, na przykład, niezastąpione we wspieraniu innych ludzi dzięki swoim znakomitym umiejętnościom słuchania, mogą doskonale się sprawdzać w działaniach zespołowych, być twórczymi menadżerami lub pisarkami. Możesz też dojść do wniosku, że jesteś utalentowaną matką, żoną i panią domu.

Czy nasze wyjątkowe umiejętności są talentami, którymi zostałyśmy obdarowane przez naturę, czy też po prostu uwielbiamy to robić? W jakimś stopniu zapewne jedno i drugie, lecz te uzdolnienia, które wynikają z naszej pasji i miłości, są najwspanialsze i najpotężniejsze.

Jednak najbardziej znaczącą umiejętnością jest prawdopodobnie ta, którą posiadamy wszyscy, to znaczy zdolność kochania. Miłość przejawia się w wielu rozmaitych formach. Kiedy dajesz coś bezinteresownie, nie dostając za to pieniędzy ani oklasków, to znaczy, że zostałaś obdarowana także umiejętnością dawania, z czego czerpiesz wiele radości i satysfakcji.

I przeciwnie; gdy odwracasz się od swoich naturalnych uzdolnień i zaczynasz dokładać wszelkich starań, by osiągnąć cel, który wymaga obcych ci umiejętności, możesz poczuć się bardzo sfrustrowana i przygnębiona. Jeśli postanowiłaś, że zrobisz karierę tancerki, a masz dwie lewe nogi, to prawdopodobnie będzie to dla ciebie raczej wyzwanie niż spełnienie. Gdy z kolei masz dar porozumiewania się z ludźmi, a zostajesz programistą komputerowym, to ucierpi na tym twój temperament, bo będziesz skazana na odosobnienie.

Jak możesz rozpoznać swoje talenty? Poproś przyjaciół i rodzinę, by pomogli ci je opisać i określić. To, co jest oczywiste dla innych, nie zawsze jest jasne dla ciebie. Odkrywanie własnych zdolności wymaga również odrobiny odwagi i wiary, tak samo jak i dzielenie się nimi. Idź za głosem serca. Świat ma sposób, by upewnić cię, że zmierzasz w dobrym kierunku, otwiera przed tobą różne drzwi. Bez względu na to, jakimi zdolnościami zostałaś obdarowana, wszystkie są cenne i tak samo ważne w realizowaniu twoich indywidualnych celów, podobnie jak twoja własna lekcja życia.

Początkowo możesz sądzić, że twoje uzdolnienia służą wyłącznie jednemu celowi. Lecz później może się okazać, iż grają w twym życiu zupełnie inną rolę, niż pierwotnie przewidywałaś. Wielu ludzi sukcesu dzieli się ze światem swoim powodzeniem, wspierając jakąś sprawę, w którą mocno wierzy. Znakomita sportsmenka lub aktorka może dojść do wniosku, że sława służy nie tylko jej własnym celom, lecz również jakiejś większej sprawie. Na przykład Andrea Jaeger, która w latach osiemdziesiątych była tenisistką światowej sławy, najpierw odkryła swoje sportowe talenty, a dopiero później wykorzystała je w bezinteresownych działaniach na rzecz innych ludzi. Teraz realizuje swój wielki cel jako założycielka Silver Lining Foundation, organizacji charytatywnej, która pomaga dzieciom chorym na raka. (Aby uzyskać więcej informacji, należy skontaktować się z Chrisem Wymanem. Adres: 1490 Ute Avenue, Aspen, CO 81611; telefon 970-925-9540; fax 970-544-0565; e-mail: www.silverliningfoundation.org).

Wielu ludzi dzieli się swoimi talentami i zdolnościami. Na pierwszy rzut oka można tego nie dostrzec, lecz wpływ, jaki wywierają na innych, jest z pewnością niezaprzeczalny i trwały. Możesz wybrać wspaniały sposób, by zaoferować innym swoje umiejętności i zostać mentorem. Dziel się tym, czego się nauczyłaś, i pomagaj innym, by potrafili robić to samo.

24

Miej czas dla siebie

Prawdopodobnie jest to jedna z najbardziej oczywistych strategii, jakie pojawiają się w tej książce, a jednocześnie najskuteczniejsza, zwłaszcza dla bardzo zajętych kobiet (a która z nas nie jest zajęta?). Czas, który przeznaczamy wyłącznie dla siebie, zbyt często zajmuje ostatnie miejsce wśród naszych priorytetów. A lista rzeczy „do zrobienia" bez przerwy rośnie. Im bardziej jesteśmy zajęte, tym bardziej gmatwają się nasze priorytety. W rezultacie spędzamy coraz mniej czasu na pielęgnowaniu własnego ja i zaspokajaniu swoich wewnętrznych potrzeb. A po jakimś czasie nie pamiętamy nawet uczucia spokoju i zadowolenia.

Towarzyszy nam jedynie wieczny pośpiech oraz przymus zwiększenia pilności. Traktujemy życie jak nagły wypadek i w galopie skreślamy z naszej listy kolejne sprawy, przypuszczając, że wszystko jesteśmy w stanie zrobić. Wyobrażamy sobie, że gdy wreszcie to nastąpi, wówczas znajdziemy czas dla siebie. Ale to się oczywiście nigdy nie zdarza. Zaczynamy odnosić wrażenie, że życie wymyka się nam spod kontroli, jakbyśmy gdzieś po drodze zagubiły jego sens.

Jeśli nie akceptujesz tych uczuć (a nie spotkałam kobiety, która by je polubiła), musisz zdać sobie sprawę, że znalezienie czasu dla siebie nie jest egoistycznym, bezwartościowym działaniem. Wprost przeciwnie. Zdziwisz się, o ile więcej będziesz w stanie dać z siebie tym, których kochasz, a jednocześnie, ile będziesz mogła dokonać, pielęgnując przede wszystkim swoją własną duszę. Nie ma znaczenia, czy jesteś matką, żoną, siostrą, córką, szefem firmy, pracownikiem, czy wszystkim naraz. Jeśli nie zadbasz o siebie, nie znajdziesz w sobie siły, by dotrzymać kroku biegowi wydarzeń. W końcu po prostu padniesz na twarz z wyczerpania. Odkryjesz, że nie potrafisz być szczęśliwa – i z pewnością nie możesz dać niczego innym – jeśli w tobie samej nie zostało już nic do zaoferowania.

Wszystkie potrzebujemy chwili oddechu – spotkania z przyjaciółką, popołudnia spędzonego na czytaniu gazet w parku, masażu lub wizyty u kosmetyczki. Każda z nas potrzebuje również wolnego weekendu lub wakacji. Należy nam się odrobina czasu, który poświęcimy wyłącznie sobie, no i trochę dobrej zabawy! To bardzo ważny sposób na zachowanie zdrowej równowagi psychicznej i na przyjemne życie.

Aby odnaleźć spokój, powinnaś potraktować to wszystko nieco poważniej, gdyż czasowe przerwy – wolne tygodnie, a nawet miesiące – będą jedynie wentylem bezpieczeństwa dla twojego przemęczenia. Aby zaspokajać swoje głębsze potrzeby, musisz każdego dnia znaleźć czas tylko dla siebie, a na pewno poczujesz się młodsza duchem i bardziej pogodna.

Zamiast miotać się od rana w szaleńczym tempie, spróbuj wstać piętnaście minut wcześniej niż reszta rodziny i stworzyć swój poranny rytuał ożywczej ciszy. Medytuj albo obserwuj wschód słońca, sącząc jednocześnie kawę lub herbatę. Możesz również się pomodlić albo poświęcić chwilę na cichą zadumę. Gdy znajdziesz swój sposób, by rozpoczynać dzień, łącząc się ze swoim ja, reszta dnia upłynie ci w spokojniejszym i bardziej refleksyjnym nastroju. Zrozumiesz, co jest najważniejsze, a może nawet stwierdzisz ze zdziwieniem, że niektóre punkty na twojej liście są zupełnie zbędne. Chociaż trudno w to uwierzyć, szybko odkryjesz, że to prawda. Korzyści będą zdecydowanie większe niż obciążenia (bardzo długo nie będziesz myśleć o nich w ten sposób) i od razu poczujesz się dużo lepiej.

25

Delikatnie wypuszczaj parę

Jesteśmy istotami pełnymi różnych przyzwyczajeń. Niestety większość z nich jest dla nas zupełnie niewidoczna. Jeśli jesteś wybuchowa i gniew uchodzi z ciebie jak powietrze z balonu, twój nawyk może zabić związek, który w innych warunkach mógłby rozkwitać. Pamiętaj, że dużo zdrowsze jest delikatne wypuszczanie pary, czyli komunikacja oparta na współczuciu i zrozumieniu, a nie wybuchanie z siłą bomby. Jest to korzystniejsze zarówno dla związku, jak i dla ciebie, ponieważ wówczas istnieje realne prawdopodobieństwo, że zostaniesz wysłuchana.

Z kolei kobiety, które tłumią w sobie gniew, są trochę jak zamaskowany wróg szykujący atak z zaskoczenia. Bez względu na to, czy taka kobieta jest zła z powodu tego, co jej partner zrobił ostatniego wieczoru czy też dwa miesiące wcześniej, uderzy, gdy tylko nadarzy się okazja, i wyładuje swą skrywaną wrogość. Coś takiego zdarza się wówczas, gdy nie potrafimy stanąć twarzą w twarz z naszym partnerem, przyjaciółką bądź członkiem rodziny i powiedzieć, co nas w danej chwili gryzie. Jeśli ciągle odkładamy swój gniew na górną półkę, możemy być pewne, że w końcu i tak eksploduje, gdy tylko będziemy w gorszym nastroju. Smutne, ale to przecież nie my rozdmuchujemy do wielkich rozmiarów tę drobną rzecz, która się właśnie zdarzyła; robią to za nas tygodnie, miesiące, a może nawet lata słabej komunikacji, co w końcu doprowadza do tego, że całkowicie tracimy umiejętność porozumiewania się.

Trzeba więc znaleźć jakiś klucz i określić, z jakimi uciążliwymi drobiazgami możesz żyć i jednocześnie nie zadręczać się nimi, a które są naprawdę nie do zniesienia.

Co miesiąc przeżywam takie chwile, kiedy jestem bardziej nerwowa i drażliwa. Wiem jednak, że to nie moje życie się zmieniło, lecz jedynie mój nastrój. Gdy coś mnie w tym czasie irytuje, zdaję sobie sprawę, że w następnym tygodniu ta sama rzecz będzie wyglądała całkiem inaczej. Rozumiem, że moje postrzeganie jest odrobinę skrzywione, i nie traktuję tego zbyt poważnie. Stanowczo więc nie chodzę i nie rozgłaszam dookoła, co myślę.

Jedna z moich przyjaciółek ma małe dzieci i pracuje w domu. Jej mąż również, lecz cała odpowiedzialność za dom i dzieci spada na nią. Z pozoru Laurie radzi sobie doskonale i nie ma żadnych problemów. Wydaje się jej, że lepiej wziąć wszystko na swoje barki i nie suszyć głowy George'owi. Jednak gdzieś w środku narasta w niej powoli dojmująca złość. Laurie nie rozumie, jak George może się umawiać na spotkania i mecze tenisa, podczas gdy ona szarpie się, żeby ze wszystkim zdążyć. A rzeczywistość przedstawia się następująco: Laurie sama zorganizowała sobie życie w taki właśnie sposób, a mąż jest całkowicie nieświadomy jej uczuć. I będzie tak aż do dnia, gdy ona rzuci się na niego ze ślepą furią. Według Laurie George chyba jest głuchy, niemy i ślepy, jeśli nie widzi tego wszystkiego, co ona robi w ciągu dnia. Laurie nie wie, że jej mąż zdaje sobie z tego sprawę, lecz skoro wszystko działa zawsze bez zarzutu, nie znajduje żadnej przesłanki, by stwierdzić, że ona jest tym udręczona. Dlaczego miałby naprawiać coś, co nie jest zepsute?

Laurie od wielu lat nie potrafi delikatnie wypuszczać pary, nie umie też ustalić jasnych granic ani renegocjować tych, które już dłużej nie mogą funkcjonować w jej związku. Życie rodzinne składa się z kompromisów i negocjacji. Trzeba umieć zdobyć się na szczerość i powiedzieć: „Nie zgadzam się, żeby tak dalej było, ponieważ..." (Zajrzyj do rozdziałów „Mów z miłością" i „Słuchaj z miłością", w których znajdziesz więcej informacji na temat umiejętności szczerej rozmowy.) A potem, pełna dobrej woli i pokojowego nastawienia, musisz cierpliwie wysłuchać odpowiedzi.

Jeśli chcesz mieć szczęśliwą rodzinę i dobre małżeństwo, nie zadręczaj się drobiazgami, lecz ćwicz umiejętność konstruktywnej komunikacji. I przestań odkładać swoje frustracje na górną półkę! Nie możesz oczekiwać, że partner będzie czytać w twoich myślach. Mów więc o swoich uczuciach w łagodny sposób, aby mógł cię usłyszeć, a potem delikatnie wypuść parę. I unikaj wybuchów, które mogą niszczyć twój związek, nie wnosząc żadnych istotnych zmian.

26

Przyjmuj komplementy zwyczajnym „dziękuję"

Ile z nas potrafi z wdziękiem przyjmować komplementy, kwitując je zwyczajnym „dziękuję"? Ktoś chwali to, co w nas dobre, a my, zamiast przyjąć pochwałę, chrząkamy z zakłopotaniem i podajemy wszystkie powody, z których nie jesteśmy jej warte. Robimy to ze strachu, że możemy wydać się zarozumiałe lub pozbawione pokory, a czasem po prostu dlatego, że brakuje nam pewności siebie.

Pewna znajoma powiedziała mi, że jedna ze starszych przyjaciółek dała jej kiedyś taką radę: „Wiesz, Susie, kiedy mówię, że podoba mi się kolor twoich włosów, że masz ładny dom albo że podziwiam twój talent dekoracyjny, nie marnuj mojego czasu i nie podawaj mi całej litanii powodów, z których cię rzekomo okłamuję. To naprawdę nie zachęca mnie do dalszych komplementów". Kiedy więc następnym razem Susie usłyszy komplement od przyjaciółki, będzie mogła zaoszczędzić swój czas i energię, mówiąc po prostu zwyczajne „dziękuję".

Jeśli twoja przyjaciółka chciała być miła i podarowała ci prezent bez żadnego powodu, nie rzuciłaś jej go w twarz, prawda? Jeśli to zrobiłaś, gwarantuję, że będzie to ostatni prezent, jaki od niej dostałaś! Z komplementami jest tak samo. Są spontanicznymi darami, wyrazami uznania i szacunku. Przyjmuj je w taki sam sposób, jak przyjęłabyś prezent od przyjaciółki – z wdziękiem.

Gdy dziękujesz za komplement, nie oznacza to, że jesteś zarozumiała, lecz że nauczyłaś się kilku rzeczy na temat wdzięku. Musimy pamiętać, że wdzięczność jest zaproszeniem boskiej energii, która w formie komplementu została skierowana bezpośrednio do nas. Obdarowanie kogoś szczerym komplementem jest jednym z najwspanialszych przeżyć, pod warunkiem że zostało przyjęte w tym samym duchu, w jakim zostało dane.

Gdy więc następnym razem ktoś użyje swojej energii, by powiedzieć ci coś miłego, ciesz się pochwałą i nie marnuj czasu. Powiedz po prostu „dziękuję".

27

Unikaj cyberprzepaści!

W dzisiejszym pośpiesznym i często bezosobowym świecie jesteśmy w stanie porozumiewać się na wiele różnych sposobów, których kiedyś nawet sobie nie wyobrażano. Poczta elektroniczna stała się obecnie bardzo popularną formą komunikacji zarówno w sprawach zawodowych, jak i prywatnych. I z pewnością ma swoje zalety, do których możemy zaliczyć sprawność, wydajność i wygodę. Jednak obok tych niekwestionowanych korzyści płynących z używania poczty elektronicznej istnieją również potencjalnie stresujące, jeśli nie wręcz szkodliwe, wady. Jedną z tych ujemnych stron, których musisz być świadoma, jeśli zaliczasz się do komputerowych dziewczyn, jest coś, co ja nazywam cyberprzepaścią. Prosto mówiąc, jest to konflikt lub napięcie spowodowane działaniem negatywnego impulsu czy też potrzeby wyrażania swoich uczuć jedynie przez pocztę elektroniczną. Jedno kliknięcie *wyślij* może nadwerężyć twój związek lub stać się powodem niepotrzebnego konfliktu.

Kiedy siedzisz przed komputerem i wysyłasz pocztę, z łatwością możesz stracić swoje naturalne hamulce. Ponieważ siedzisz sama przed ekranem, wydaje ci się, że możesz bezpiecznie odsłaniać swoje najskrytsze myśli. A ponieważ uderzanie w klawiaturę jest zajęciem o bezosobowej naturze, możemy odczuwać pokusę, by pisać rzeczy, których nie powiedziałybyśmy podczas bezpośredniego spotkania ani przez telefon. W końcu nikt na nas nie patrzy ani nas nie słucha. Jesteśmy tylko my i nasz komputer. Czujemy się więc bezpiecznie i swobodnie, wystukując na klawiaturze nasze myśli. Może jesteśmy rozgniewane albo zranione, a może mamy podły nastrój lub czujemy się sfrustrowane i przygnębione. Nie zastanawiając się więc nad czymkolwiek, wystukujemy naszą frustrację i dzielimy się kilkoma mało przyjemnymi uwagami. Piszemy to, co naprawdę o kimś myślimy, czasem wyrażamy też nasze niezadowolenie, a potem jedno kliknięcie i nasze myśli mkną już do kogoś w cyberprzestrzeni. Zanim zdążymy zdać sobie sprawę z tego, co napisałyśmy, albo pomyśleć o ewentualnych następstwach, jest już za późno. Wiadomość została wysłana, a szkoda wyrządzona.

Chociaż pokusa jest wielka, musisz pamiętać, że gdy jesteś zła, gdy nie masz czasu albo gdy ponoszą cię nerwy, to nie jest to najlepszy czas na wysyłanie swoich myśli pocztą elektroniczną. Zawsze lepiej poczekać, aż nieco ochłoniesz bądź spojrzysz na sprawę z innej perspektywy, a dopiero potem wysyłać w przestrzeń swoje myśli. Jeśli masz ochotę na napisanie listu, zrób to śmiało, ale pisz długopisem, albo przynajmniej wtedy, kiedy nie jesteś w sieci. Dzięki temu zyskasz czas do namysłu i będziesz mogła zastanowić się nad tym, co napisałaś i jak to zostanie odebrane. Zawsze możesz postanowić, że wyślesz list nieco później, albo rozważysz, czy w ogóle to robić.

Jestem zdziwiona, że aż tylu mężczyzn wpada w cyberprzepaście. Wydaje się, że niektórzy mężczyźni potrafią lepiej wyrażać swoje uczucia poprzez pocztę elektroniczną, która jak na ironię jest bezosobowa. Będą miotać przekleństwa, narzekać, jak bardzo są zmęczeni i zapracowani, a skończą na znieważaniu wszystkiego. Myślisz, że mężczyzna z wyższym wykształceniem napisałby służbową notatkę, w której użyłby niecenzuralnego słowa, jeśli nie korzystałby jednocześnie z poczty elektronicznej? Wątpię. W ten jednak sposób poczta elektroniczna wyzwala pewien zasób prymitywnych impulsów i zachowań.

Chociaż istnieją prawdopodobnie zrozumiałe i dające się usprawiedliwić wyjątki, w większości wypadków lepiej nie wyrażać impulsywnie swych negatywnych uczuć poprzez pocztę elektroniczną. Chwilowe zadowolenie, które odczuwasz, prawie zawsze przegra ze stresem, który zafundowałaś sobie i odbiorcy twojej wiadomości. Myślę, że zgodzisz się ze mną, iż większość cyberprzepaści jest całkowicie bezproduktywna. Jeśli zdasz sobie sprawę z istnienia takiego problemu, możesz z łatwością go uniknąć. I jak się zazwyczaj okazuje, cierpliwość służy nam najlepiej.

28

Chroń swój wewnętrzny ogień

Najbardziej pomocne będziemy innym tylko wtedy, gdy nauczymy się utrzymywać własne emocjonalne samopoczucie w dobrym i nienaruszonym stanie. Jest ono bowiem źródłem naszej siły, naturalnej mądrości, spokojem umysłu oraz inspiracją. Z drugiej strony, jeśli nie będziemy chronić naszego dobrego samopoczucia, inni nie będą mieli z nas większego pożytku. Przecież nie można dawać tego, czego się nie posiada.

Myśl o swoim dobrym samopoczuciu jak o wewnętrznym ogniu, który pali się w tobie jasnym płomieniem. Ten ogień jest sercem i duszą twojej istoty, więc gdy jesteś spokojna i wyciszona, pali się jasno i swobodnie, a twoje dobre samopoczucie pozostaje nienaruszone.

Dla każdej z nas jest ono specjalnym światełkiem pokoju, które nosimy w sobie; jest również naszym wrodzonym zdrowiem. Czasami musisz osłaniać dłonią płomień prawdziwej świecy, aby nie zdmuchnął go wiatr. Tak samo chcesz przecież postępować ze swoim dobrym samopoczuciem.

Musisz delikatnie ochraniać swój wewnętrzny ogień, aby nie zaczął przygasać. Kiedy moje dobre samopoczucie jest narażone na niebezpieczeństwo, czuję się rozbita, zmęczona, zdekoncentrowana i nie mam dostępu do swojego wewnętrznego źródła mądrości i spokoju.

Każda z nas musi odnaleźć własny sposób na umacnianie tego płomienia. Gdy mój pali się słabo, odbieram to jako wskazówkę, że mam zbyt „przeładowaną" głowę. Dochodzę wówczas do wniosku, że potrzebuję odosobnienia i chwili samotności. Muszę pooddychać głęboko i spróbować wyrzucić z myśli tysiące tych wszystkich drobnych trosk i napięć, które ciągną mnie w dół i pogarszają nastrój.

Moje największe wyzwanie emocjonalne od kiedy zostałam matką, to próba utrzymania dobrego samopoczucia w sytuacji, gdy dzieci mają zły humor lub emocjonalny „dołek". Przez te wszystkie lata zorientowałam się, że nie odnosimy żadnej korzyści, gdy tracimy kontrolę i opanowanie właśnie w tym czasie! Najważniejszą sprawą w takiej chwili jest ochrona wewnętrznego ognia, która polega na tym, by postrzegać dzieci jako odrębne istoty. Są ludźmi tak samo jak i ty, i mają prawo do różnych nastrojów. Czasami ten pogląd jest dla mnie prawdziwym wyzwaniem, lecz pomimo to jest niezmiernie istotny.

Pierwszym krokiem do utrzymania wewnętrznego spokoju jest znalezienie sposobu na zachowanie właściwej orientacji i skupienia. W takim wypadku bardzo pomocna może się okazać świadomość istnienia zjawiska, które Richard nazywa „atakiem myśli". Kiedy się zorientujesz, że twoje myśli wymknęły się spod kontroli lub jesteś nimi nadmiernie przeładowana, zrób sobie przerwę albo wstrzymaj się z konfrontacją, a wówczas twoje dobre samopoczucie będzie miało szansę na szybki powrót. Dopiero potem podejmiesz najwłaściwsze decyzje w sprawie, którą musisz załatwić.

Jeśli rozumiesz, jakie następstwa będzie miała ta strategia w twoim codziennym życiu jako kobiety, przyjaciółki, matki, żony i koleżanki z pracy, może zaczniesz postrzegać ją jako jeden z najważniejszych elementów emocjonalnej stabilności twojej rodziny i przyjaciół. Jeśli twoje dobre samopoczucie będzie trwałe, skorzystają na tym twoje przyjaźnie, będziesz też lepszą i bardziej troskliwą żoną. Cała sztuka polega na tym, aby zrozumieć, że jakość twojego myślenia jest uzależniona od mocy wewnętrznego płomienia. Musisz też zdawać sobie sprawę, że kiedy ten płomień jest słaby, nie jesteś zdolna do tego, by emocjonalnie poradzić sobie z jakimś problemem. Będziesz z większą swobodą cieszyć się rodzicielstwem i życiem, jeśli nauczysz się znosić ciężkie chwile z wdzięcznością. Pilnuj więc, aby ta świeca płonęła niezmiennie jasnym światłem.

29

Zrozum różnicę pomiędzy intuicją a strachem

Czym dokładnie jest intuicja i jak odróżnić ją od strachu? Bardzo ważne, abyś uświadomiła sobie tę różnicę, gdyż umiejętność korzystania z daru intuicji pomoże ci w kierowaniu własnym życiem. Odróżnienie jej od strachu pozwoli ci złożyć w całość poszczególne informacje i podjąć właściwą decyzję. Sprawi, że będziesz reagować mniej impulsywnie i powstrzyma cię przed podejmowaniem pochopnych decyzji wypływających z irracjonalnego strachu. Twoja intuicja podpowie ci również, jak w racjonalny sposób wykorzystywać strach, który ochroni ciebie i innych przed niebezpieczeństwem. Zwróć uwagę na intuicję; ona często prowadzi prosto do celu.

Najprostszy sposób odróżnienia strachu od intuicji to rozpoznanie niezwykle delikatnej różnicy, jaka je dzieli. Wszystkie uczucia mają swój początek w naszych myślach, a intuicja jest uczuciem bardzo silnym, niczym szósty zmysł, w którym nie ma miejsca na żaden strach. Wydaje się, że niemal wisi w powietrzu, a wiele osób twierdzi, że czuje ją w żołądku. Najpierw masz jakieś nieodparte wrażenie, że coś się wydarzy, a potem zaczynasz się zastanawiać nad tym, co czujesz. Może to być uczucie niepokoju lub nieufności, silny nastrój wyczekiwania na coś albo dobry omen. Czasami po prostu czujemy, że jest właśnie tak, a nie inaczej.

Strach jest uczuciem, które wywodzi się bezpośrednio z myśli pełnych przerażenia. Bezsprzecznie ma swój początek w twojej głowie, gdzie rodzą się również myśli. Prawdziwa różnica między strachem a intuicją polega na tym, że zazwyczaj jesteś świadoma tego, czego się boisz, dlatego masz w głowie konkretny obraz. Jednak gdy zaczyna pracować twoja intuicja, możesz nie zdołać sprecyzować tego, czego właściwie oczekujesz.

Jeśli zawsze odczuwasz strach przed wejściem na pokład samolotu, oddajesz się myślom o czyhających na ciebie niebezpieczeństwach, to nie jest to prawdopodobnie intuicja. Ale gdy zazwyczaj nie boisz się latania i masz jakieś silne przeczucia związane z tym konkretnym lotem, to zawierzenie temu uczuciu nie jest złym pomysłem. Możliwe, że w tym wypadku daje o sobie znać twoja intuicja.

Ja potrafię odróżnić intuicję od strachu dzięki prostej obserwacji. Przyglądając się mojej psyche, stwierdziłam, że bardzo często odczuwam strach, a intuicja przemawia do mnie niezwykle rzadko, a przy tym nie wiadomo, skąd się bierze. Na przykład, gdy moja partnerka z porannego biegania nie może mi towarzyszyć, często obawiam się o swoje bezpieczeństwo. Wiem, że to strach, ponieważ rozpoznaję swój własny model myślowy. Po pierwsze nie pozwalam, by to powstrzymało mnie przed samotnym bieganiem, a po drugie mogę przecież zmienić swoją trasę, gdy widzę na drodze kogoś lub coś, co nie budzi mojego zaufania.

Zawsze jest czas i miejsce na odrobinę zdrowego strachu, zwłaszcza wtedy, gdy nie czujesz wyraźnego głosu intuicji lub nie jesteś jej pewna. Strach jest emocją, która w połączeniu ze zdrowym rozsądkiem, zapewnia nam bezpieczeństwo. Przecież gdyby nie strach, odrzucałybyśmy wszystkie ostrzeżenia, czując się niepokonane. Natomiast gdy strach wymyka się spod kontroli, staje się destrukcyjny, podobnie jak wszystkie inne emocje. Wtedy w naszym życiu zaczyna działać jakaś irracjonalna siła, która niszczy nasze zdrowie psychiczne i umysłowe.

Lubię myśleć o intuicji jako o zdolności dostrajania się do naszej wrodzonej mądrości, tego „lepszego ja" połączonego z naszym centrum duchowym. Musimy rozwijać prawdziwy i ostry zmysł intuicji, a to może wymagać ćwiczeń i praktyki. W każdym razie staraj się dostrzec subtelną różnicę pomiędzy strachem a intuicją. Jeśli ci się to uda, zawsze będziesz podejmować ważne decyzje, zarówno te duże, jak i małe, pełna wewnętrznej siły.

30

Ustalaj wyraźne granice

Na szczęście już dawno temu zrezygnowałyśmy z obrazu „uległej kobiety". Jednak dla wielu z nas uświadomienie naszych potrzeb i granic ludziom, z którymi pracujemy bądź żyjemy, jest prawdziwym wyzwaniem. Jeśli nauczymy się ustalać wyraźne granice, automatycznie nie pozwolimy, aby inni nas wykorzystywali, i jednocześnie pozbędziemy się uczucia frustracji.

Zanim będziesz w stanie określić swoje granice w stosunku do innych, musisz najpierw sama ustalić i zrozumieć, gdzie przebiegają. Powinnaś się dowiedzieć, gdzie znajduje się linia określająca koniec twojej wytrzymałości. Pomogą ci w tym uczucia gniewu, złości i oburzenia. Ustalenie wyraźnych granic usprawnia komunikację bez względu na to, czy chodzi o męża, współpracowników, dzieci czy też rodziców. Jednocześnie mniej drobiazgów będzie cię przygnębiać i wyprowadzać z równowagi, ponieważ ludzie z tobą związani dowiedzą się, czego mogą od ciebie oczekiwać.

Ann, która jest żoną Toma, nie zdawała sobie sprawy, jak ważne jest ustalenie wyraźnych granic, zwłaszcza w stosunku do męża. O miłości myślała mniej więcej w ten sposób: jeśli naprawdę kogoś kochasz, dajesz mu wszystko, czego pragnie, próbujesz zaspokajać wszystkie jego potrzeby i zawsze jesteś pełna współczucia i zrozumienia, nawet jeśli ten ktoś zawodzi cię całkowicie i nie potrafi wykrzesać z siebie ani odrobiny zaangażowania. Takie podejście jest teoretycznie ideałem godnym naśladowania, lecz sprawdza się tylko wtedy, gdy respektują je obie strony. Jeśli nie, osoba, która daje z siebie wszystko, zda sobie w końcu sprawę, że jest wykorzystywana, i wpadnie w złość. Po siedmiu latach małżeństwa Ann zaczęła się czuć jak niewolnica Toma.

Stało się tak, gdy odkryła, że mąż ją zdradza, co tylko potwierdziło jej uczucia i opinie na temat ich związku. Mieli dwójkę małych dzieci, którymi opiekowała się Ann, a Tom przypominał w zasadzie dochodzącego ojca. Zawsze miał jakieś wymówki i wracał do domu, gdy dzieci już spały.

Gniew i oburzenie podpowiedziały Ann, gdzie przebiega granica kresu jej wytrzymałości. Tom musiał zerwać związek z inną kobietą i przysiąc, że już nigdy jej nie zdradzi. Na dodatek przynajmniej dwa razy w tygodniu miał wracać do domu przed kolacją. Niewierność Toma była symptomem braku porozumienia i bliskości w związku. No i prawdę mówiąc, Tom nie żywił do Ann zbyt wiele szacunku. Aby odzyskać szacunek męża i szacunek do siebie samej, Ann powiedziała, że jest gotowa zrezygnować z małżeństwa, jeśli Tom nie zmieni swego serca i nie będzie skłonny zasadniczo zmienić swojego zachowania i przyzwyczajeń.

Związek Ann i Toma pokazuje, co się dzieje wówczas, gdy nie określisz wyraźnie swoich osobistych granic. A najlepiej, gdyby dwoje ludzi w dowolnym związku potrafiło wspólnie wynegocjować swoje granice. Mogłyby dotyczyć one spraw finansowych, rodzinnych, seksualnych, ilości wspólnie spędzanego czasu i tak dalej. Weź również pod uwagę, że z czasem te granice będą się najprawdopodobniej zmieniać. Ludzie, którzy mają ze sobą dobry kontakt, wiedzą, jak w delikatny i pełen uczucia sposób powiedzieć: „To mi już nie odpowiada, ponieważ..." Jeśli nauczysz się określać wyraźne granice, jednocześnie zredukujesz stres wywoływany przez ludzi, którzy cię obrażają.

Takie postępowanie nie oznacza, że jesteś egocentryczna. Aby ustalone granice były efektywne, muszą być jednocześnie sensowne, racjonalne, sprawiedliwe i nie mogą przechylać się na żadną ze stron.

Jedna z moich przyjaciółek określiła to w przepiękny sposób: „Jeśli twój związek jest delikatnym, kruchym ptakiem, którego trzymasz w dłoni, musisz uważać, by nie ściskać go tak mocno, aż ujdzie z niego życie. Nie możesz trzymać go również zbyt lekko, bo odleci. Musisz trzymać go dokładnie tak, jak trzeba".

31

Pozbądź się „doskonałych" planów

Postanowiłaś, że zorganizujesz przyjęcie z okazji sześćdziesiątych urodzin swojego ojca, zamierzasz uczcić złote gody swoich rodziców, a może planujesz zwyczajne sąsiedzkie spotkanie przy grillu. A może chcesz po prostu wyjechać na romantyczny weekend.

Bez względu na okazję, rozpoczęłaś planowanie z czystą determinacją, że będzie to „doskonały dzień", a ty zorganizujesz „doskonałe przyjęcie".

Niestety, jak już się bez wątpienia nie raz przekonałaś, te „oczekiwania" nie dają żadnej pewności. W najlepszym wypadku masz sto procent gwarancji, że zapewnią ci rozczarowanie; w gorszym, że będzie to wysoce stresujące doświadczenie; a w najgorszym – że nabawisz się wrzodów żołądka.

Jeśli chcesz mieć pewność, że zorganizujesz wspaniałe przyjęcie, na którym sama będziesz się świetnie bawić, pamiętaj, żeby przede wszystkim skupić się na szczegółach, a jednocześnie zrezygnować z „doskonałych" planów. Miej na względzie fakt, że we wszystkich planach zdarzają się niespodziewane zwroty i nagłe wstrząsy. Pomimo twojej dbałości o szczegóły i zdolności przewidywania problemów zawsze może się zdarzyć coś, czego nie zaplanowałaś. Jeśli wiesz o tym z góry, zaoszczędzisz sobie mnóstwa stresów.

Przygniata nas ogromne, nikomu niepotrzebne ciśnienie, które jest wynikiem zbyt wysokich oczekiwań. Jeśli jesteś perfekcjonistką, ta strategia przyda ci się podwójnie. Trzeba się pogodzić z faktem, że jest zbyt wiele różnych zmiennych, których nie kontrolujesz, planując jakieś wydarzenie. Nigdy nie słyszałam o osobie, która potrafi wpłynąć na pogodę, na ilość alkoholu, jaką wujek Jim wypije tego wieczoru, albo na inne fatalne rodzinne narowy, które się z pewnością ujawnią.

Dobrą wskazówką, że twoje oczekiwania sięgają odrobinę za wysoko, może być sposób, w jaki traktujesz swoją rodzinę i przyjaciół przed wielkim przyjęciem. Jeżeli jesteś popędliwa, podniecona, zgryźliwa i nie zamyka ci się buzia, to najwyższy czas, żeby się uspokoić. Pamiętaj, że zabawa i tak się odbędzie, nawet wtedy, gdy ty będziesz zestresowana! Odetchnij więc przez moment i rozchmurz się. I nie zapominaj, że podjęłaś decyzję o zorganizowaniu przyjęcia, aby coś uczcić i dobrze się bawić.

A oto inny scenariusz, który chyba nigdy nie zawodzi: planujesz niewiarygodnie romantyczny weekendowy wyjazd ze swoim mężem, zapominając o jednej sprawie, która może wszystko zniweczyć. I wtedy, bingo! W dzień wyjazdu dostajesz okres. Mnie również zdarzyło się to kilka razy. Wszystko na próżno, ale jeśli zachowasz poczucie humoru i odrobinę elastyczności, możesz spędzić wspaniałe chwile.

Gdy zdarzy się nam coś takiego, musimy po prostu zrezygnować ze swojego „doskonałego planu" i zastosować „plan B", czyli masaż pleców, stóp, długie intymne spacery po plaży albo po lesie. Szczere rozmowy i kąpiele przy świecach mogą się stać niezapomnianymi chwilami tego weekendu. Nie uda nam się ich spędzić tylko wtedy, gdy jedno z nas będzie zbyt spięte z powodu „doskonałego planu", którego nie udało się zrealizować.

Tę samą strategię można zastosować również w szerszej skali życia. Jeżeli uważasz, że jesteś w stanie zaplanować doskonałe życie, i oczekujesz, że wszystko będzie idealnie pasować do tego planu, cóż, powodzenia. Niektóre rzeczy z pewnością okażą się takie, jak oczekujesz, ale inne wprost przeciwnie. Prawie nigdy nie zakładamy, że zachorujemy, że spali nam się dom albo że będziemy musieli nagle przeprowadzić się w poszukiwaniu pracy.

Natomiast często planujemy, jak będzie wyglądało nasze małżeństwo albo co się z nim stanie, gdy urodzi się dziecko. Czasami dzieje się tak, jak przewidywałyśmy, ale najczęściej rzeczywistość różni się diametralnie od naszych oczekiwań. Problem polega na tym, jak dalece uczepiłyśmy się myśli, że wszystko odbędzie się zgodnie z naszym planem. Im bardziej zaangażujesz się w swoje oczekiwania, tym bardziej będziesz rozczarowana, gdy te oczekiwania się nie spełnią.

Spójrz na to w ten sposób: zamiast denerwować się, gdy sprawy nie idą zgodnie z twoim zamysłem, ciesz się, gdy od czasu do czasu plany uda ci się zrealizować! A wtedy będziesz mogła się cieszyć, tak czy inaczej. Dowiesz się też, że wszystko jest „doskonałe", po prostu takie, jakie jest!

32

Nie pozwól, by zwątpienie stanęło ci na drodze

Żadna z nas nie jest w stu procentach pewna tego wszystkiego, co robi przez sto procent swojego czasu. Jeśli tak rzeczywiście jest, być może nie przesunęłaś swoich granic w wystarczającym stopniu. Odrobina zwątpienia w siebie jest zdrowym uczuciem i pokazuje, że trochę jednak się rozwijamy; jeśli jest go zbyt wiele, paraliżuje zdolność postępu i sprawia, że nie jesteśmy w stanie realizować naszych celów.

Wiele razy w życiu doświadczałam zwątpienia na bezpiecznym poziomie, lecz czasem zdarzało się, że odczuwałam je w stopniu, który nie pozwalał mi dokończyć tego, co rozpoczęłam. We wszystkich przypadkach rozwijałam swoje możliwości i dlatego mobilizowałam wszystkie siły i podążałam w kierunku rozwoju.

Jeśli poddasz się niepewności i pozwolisz, by zwątpienie narastało, w końcu może cię przerosnąć i zostaniesz pokonana przez swoje negatywne myślenie. Bardzo pomocna okazuje się tutaj świadomość, że wątpliwości są jedynie pewnym mechanizmem wewnętrznym, który pokazuje nam, że przekroczyłyśmy strefę bezpieczeństwa. Odrobina złego samopoczucia nie jest złym uczuciem. Prawdę mówiąc, wskazuje tylko, że podążasz w stronę niezwykłej możliwości rozwoju. Masz wówczas wybór i możesz zdecydować, że nie będziesz dłużej balansować na linii negatywnego myślenia. Pomyśl o tym w ten sposób: Grasz w Monopol i trafiasz do więzienia. Wyciągasz kartę z szansą „Zapłać pięćdziesiąt dolarów i wyjdź z więzienia albo pozostań tam przez kolejne trzy rundy". Zrozumienie i uświadomienie sobie, że masz wątpliwości, jest twoją „kartą szansy". Karmienie niepewności kolejną porcją zwątpienia jest jak rezygnacja z kolejnych trzech rund, kiedy stawką jest marne pięćdziesiąt dolców!

Spróbuj potraktować swoje wątpliwości jak zwyczajną czkawkę; proste przypomnienie, że dzięki nim zwiększasz swój potencjał. Gdy następnym razem zwątpisz w siebie, spróbuj dostrzec, że się rozwijasz, i przyjmij tę możliwość z radością.

33

Umiej przebaczać

Wszystkie przeżywamy w życiu takie chwile, gdy krzyw-dzi nas ktoś, komu ufałyśmy, czy to przyjaciółka, kocha-nek, czy też nawet członek rodziny. Nie ma wątpliwo-ści, że to bardzo boli. Chociaż zdaję sobie z tego sprawę, uważam, że w takiej sytuacji mamy dwa wyjścia. Możemy zachować się jak rak pustelnik, który w obronie bezcenne-go życia chowa się w swojej muszli. Możemy też wybrać wolność ptaka w locie, którą zapewni nam dar wybacza-nia.

Przebaczenie jest prawdziwym wyzwaniem, gdy myślisz o nim w odniesieniu do osoby, na którą jesteś zła. Faktycz-nie jednak uwalnia cię od niszczącego działania, jakie gniew i wrogość wywierają na twoją psychikę oraz samopoczucie. Twoje emocje należą wyłącznie do ciebie i nie wpływają na osobę, która cię skrzywdziła.

Przebaczenie jest sprawą niezwykle osobistą. I nie cho-dzi o to, abyś je komuś ofiarowała albo o nim powiedzia-ła. Prawdę mówiąc, to nie jest w tym momencie sprawa zasadnicza. Ważne, abyś otworzyła swoje serce i uwolniła umysł od złości i nienawiści. Wszystkie okłamujemy się od czasu do czasu, sądząc, że dzięki złym myślom doświadczymy czegoś w rodzaju zemsty. Jednak prawda jest zupełnie inna. Gdy pielęgnujemy w sobie takie myśli i emocje, doprowadzamy jedynie nasz umysł do niezdrowego, niebezpiecznego stanu, z którego trudno wyjść. Jeśli przebaczysz winowajcy, podarujesz sobie spokój umysłu i znowu będziesz mogła iść przez życie pełna pogody ducha i wdzięczności.

Kiedyś czytałam artykuł o pewnej młodej Koreance, która przeżyła bombardowanie swojej wioski. Uciekła stamtąd w płonącym ubraniu, a cała jej rodzina zginęła w ogniu. Po wielu latach i niezliczonych operacjach plastycznych, które uzdrowiły jej poparzone ciało, wyjawiła, że prawdziwe uzdrowienie nastąpiło dopiero wówczas, gdy była w stanie wyleczyć rany swojego serca. Osiągnęła to, wybaczając całemu narodowi. Jeśli więc ktoś potrafi wybaczyć całemu narodowi, to czy my nie możemy czasem darować jednej osobie? Jestem pewna, że możemy.

Musimy również wybaczyć sobie, jeśli to my kogoś skrzywdzimy. To może być równie trudne jak wybaczenie drugiej osobie. Trzeba przyznać, że nasze człowieczeństwo czyni nas istotami, którym z natury daleko do doskonałości. Dopóki żyjemy, będziemy popełniały błędy, aczkolwiek mogą być one coraz mniejsze, jeśli wyciągniemy jakąś naukę ze swoich doświadczeń. Pozbywanie się uczucia winy i wybaczanie sobie jest częścią emocjonalnego rozwoju. Nie bój się też prosić o wybaczenie.

Miłość, którą obdarzasz siebie i innych ludzi, można zmierzyć zdolnością do zapominania zła, które uczynili ci inni, oraz wybaczania błędów, które sama popełniłaś. Jeśli zrozumiesz, że uczucia gniewu, nienawiści, goryczy, żalu i zdrady należą tylko do ciebie, zauważysz ogromne emocjonalne korzyści płynące z pogody ducha i zdolności zapewniania sobie spokoju, które mają swoje źródło w przebaczeniu.

34

Bądź autentyczna

A teraz coś zabawnego do przemyślenia! Wyłącz „kanał pierwszy" i spróbuj być autentyczna. Richard i ja po raz pierwszy usłyszeliśmy ten termin od filozofa Rama Dassa. Od tej pory używamy go dla określenia powierzchownych, płytkich rozmów, w które angażuje się wiele osób. Dotyczą one na przykład pogody lub mody.

Komunikacja „kanału pierwszego" koncentruje się również na marce samochodu, którym jeździsz, ilości zarabianych pieniędzy lub czyimś wyglądzie. Wszystkie to robimy i niekiedy jest to absolutnie na miejscu. Problem pojawia się wówczas, gdy „kanał pierwszy" jest jedynym, jaki posiadasz, albo gdy niezbyt często przełączasz się na „głębsze kanały". W takim wypadku uczucia i interakcje, których doświadczasz, nie będą tak bogate, jak mogłyby być. Będziesz miała wrażenie, że brakuje ci w życiu głębi, intymności, zażyłości i porozumienia.

Autentyczność i mniej powierzchowne kontakty z ludźmi są o wiele bardziej korzystne i satysfakcjonujące. Aby to osiągnąć, musisz być otwarta, szczera i uczciwa.

Jeśli będziesz tracić energię, przekonując innych, że jesteś perfekcyjna i że nigdy nie zajmujesz się niedoskonałymi aspektami swojego życia, lub gdy będziesz koncentrować się tylko na tematach z zakresu „kanału pierwszego", w końcu znajdziesz się w otoczeniu ludzi, którzy są przekonani, iż wszystko w ich świecie jest wprost „doskonałe", i którzy lubują się w powierzchownych rozmowach. W końcu znajdziesz się w miejscu pełnym zwolenników „kanału pierwszego" i poczujesz się całkowicie samotna i wyizolowana. To płytka egzystencja, gdyż tam, gdzie jest mało prawdy i autentyczności, tam jest również mało serca.

Od wielu lat znam pewną kobietę. Kiedy się spotykamy, co ma miejsce raz lub dwa razy do roku, wszystko przebiega zawsze w ten sam sposób. Wita się ze mną bardzo wesoło, lecz w sposób ograniczony ewidentnie do „kanału pierwszego". Uśmiecha się i opowiada, jakie wszystko jest doskonałe. Jej ojciec ma się „wspaniale", chociaż przeszedł atak serca. Ona czuje się wprost „doskonale", chociaż pracuje na pełnym etacie, a marzy o tym, by zostać w domu i wychowywać trójkę swych dzieci. Jej małżeństwo jest „fantastyczne", mimo że żyje z mężczyzną, który w rezultacie jest jej czwartym dzieckiem.

Problem polega na tym, że taka rozmowa prowadzi donikąd. I chociaż nie ma nic złego w konwersacji rodem z „kanału pierwszego", uczciwiej byłoby powiedzieć: „Wiesz, Kris, ogólnie rzecz biorąc, jestem szczęśliwa, ale tak jak każdy mam swoje problemy i frustracje". Taka wypowiedź otworzyłaby drzwi i przyczyniłaby się do większej zażyłości pomiędzy nami. Zainicjowałaby pytania i pogłębiła naszą znajomość. Nie musiałybyśmy przecież wchodzić w szczegóły jej niepowodzeń i frustracji, lecz przynajmniej czułabym, że otworzyła się przede mną. A ona miałaby poczucie, że była szczera i uczciwa.

Są oczywiście odpowiednie miejsca na rozmowy z „kanału pierwszego". Nie będziesz przecież rozmawiać o swoich osobistych problemach z każdym współpracownikiem ani z ludźmi, których ledwie znasz. Czasami więc „kanał pierwszy" jest przydatny i całkowicie na miejscu. Chodzi o to, żeby – w zależności od sytuacji – przełączyć się na głębszy rodzaj interakcji.

Możesz być szczęśliwa, nie mając „doskonałego życia"! Gdy twoja radość jest prawdziwa, a jej źródłem są prawdziwe uczucia, pozwól jej jaśnieć pełnym blaskiem, ponieważ opromieni wszystkich, którzy cię otaczają. Gdy twoje uczucia są fałszywe i sztuczne, a ty obawiasz się być autentyczna, nie będziesz mogła porozumieć się z ludźmi tak naprawdę i nigdy nie poczujesz się spełniona.

Dzielenie się radością i cudem życia z przyjaciółmi i rodziną jest wspaniałe, a odkładanie negatywnych uczuć na górną półkę, udawanie, że ich w ogóle nie ma, sprzyja osamotnieniu. Jeśli potrafisz bez skrępowania i prosto z serca wypowiedzieć się zarówno na temat swego szczęścia, jak i niedoli, przekonasz się, że odpowiedź, jaką otrzymasz (z głębi siebie i od innych ludzi), nakarmi twoją duszę nieporównanie obficiej niż interakcja na poziomie „kanału pierwszego". Akceptacja i uczucie bliskości, które skierujesz do innych i od nich otrzymasz, dadzą ci dużo więcej, niż wyrażą słowa. To podstawa bezwarunkowej miłości i otwarcia się na jej przyjęcie. Właśnie w taki sposób!

35

Postscriptum – mam syndrom napięcia przedmiesiączkowego!

Myślę, że to dobry pomysł, by wszystkie kobiety miały na drzwiach swoich sypialni wywieszkę: „Mam SNPM!" (syndrom napięcia przedmiesiączkowego). Na drugiej stronie powinien znaleźć się napis: „Daj mi spokój! Jestem skonana, oklapnięta, wściekła, głowa mi pęka i umieram ze zmęczenia". Na dole: „Traktować z największą ostrożnością". Taka informacja byłaby ostrzeżeniem dla naszych najbliższych i dobrą radą, by dali nam trochę spokoju.

Jeśli opiekujemy się dziećmi, mężem i dziesięcioma zwierzakami, w jaki sposób mamy przejść przez te trudne dni bez ofiar? Bardzo rozważnie i ostrożnie.

Muszę przyznać, że gdy jestem pod wpływem napięcia przedmiesiączkowego, nic mnie nie cieszy. Najgorzej jest w tych momentach, gdy tracę panowanie nad sobą, a potem zdaję sobie sprawę, że ta przypadłość odbiera mi to, co mam najlepszego. Gdy mój organizm traci seratoninę, zaczynam mówić szokujące rzeczy i zupełnie nie czuję się sobą. Dobrze chociaż, że moja rodzina – dzięki ostrzeżeniu, w jakim jestem stanie – nauczyła się, żeby w tym czasie mnie nie drażnić i nie zasypywać pytaniami (przynajmniej nie bez przerwy).

Poszukując sposobu na złagodzenie objawów napięcia przedmiesiączkowego, doszłam do kilku wniosków, które okazały się niezmiernie pomocne. Ty również możesz wypróbować którąś z tych strategii:

• Nie pij kawy. Kofeina dodatkowo wzmaga twoją nerwowość i drażliwość oraz pozbawia cię cennych witamin;

• Zażywaj multiwitaminę;

• Ulegaj różnym żądzom, lecz zanadto nie hulaj (jeśli to możliwe);

• Pij więcej wody i regularnie ćwicz, nawet wtedy, gdy czujesz się wyjątkowo ospała i ociężała;

• Oddychaj głęboko, gdy czujesz się przygnębiona i zestresowana;

• Rozluźnij się; rób sobie przerwy, aby wypocząć i pobyć w samotności;

• Popraw swoje samopoczucie, próbując myśleć pozytywnie;

• Uświadom sobie, że nie jesteś w najlepszej kondycji umysłowej, i odłóż na później podejmowanie ważnych decyzji i rozwiązywanie problemów;

• Nie rób ze wszystkiego „wielkiej sprawy". Bezustannie powtarzaj sobie, że wszystko minie;

• Przeproś, gdy zareagujesz zbyt impulsywnie;

• Jeśli to możliwe, zrób sobie długą, leniwą kąpiel zamiast prysznica.

Mam nadzieję, że niektóre z tych pomysłów okażą się pomocne w przetrwaniu tej trudnej, zarówno fizycznie, jak i emocjonalnie, fazy twojego cyklu. Zespół napięcia przedmiesiączkowego to prawdziwe utrapienie, lecz jeśli będziesz bardziej świadoma niebezpieczeństw i weźmiesz w rachubę przyczyny złego samopoczucia, możesz się z nim uporać. Ufam, że powyższe sposoby zmniejszą twój stres, a dzięki temu ułatwią życie twoim najbliższym.

36

Obniż poprzeczkę

Kobiety są w stanie wiele znieść, lecz czy stawianie wysoko poprzeczki naprawdę leży w naszym interesie? Nie sądzę. Ogólnie mówiąc, zbyt duża ilość stresów działa na nas tak, jak brak oleju na silnik. Zazwyczaj nie jeździmy samochodami, którym brakuje paliwa lub oleju. Napełniamy ich baki benzyną i regulujemy silniki, dbając, żeby się nie zepsuły. Z nami jest podobnie. Musimy unikać zbyt wielkiej ilości stresów, aby nie osiągnąć punktu krytycznego, w którym napięcie staje się już nie do zniesienia. Jeśli mamy czas, by poświęcać uwagę naszym samochodom, to czy nie stać nas na to, by utrzymywać stresy na odpowiednio rozsądnym poziomie? I nie obciążać się zbyt wieloma napięciami, których żaden człowiek nie jest w stanie znieść?

Niejeden raz myślałam, że dzieci powinny przychodzić na świat ze specjalną instrukcją obsługi. Dokładając wszelkich starań, by okazywać maksimum cierpliwości (która nigdy nie była moją mocną stroną) i miłości, ustawiałam sobie poprzeczkę tolerancji na stres o wiele za wysoko.

W końcu uświadomiłam sobie, że dla dzieci nie ma żadnego znaczenia, jak długo są niegrzeczne lub kiedy doprowadzą mnie do kresu wytrzymałości, lecz z pewnością ma to ogromne znaczenie dla mnie. Błędnie zakładałam, że miłość oznacza, iż moja poprzeczka musi być ustawiona wysoko. Będę tolerancyjna mniej więcej do piątej po południu, a potem wybuchnę jak wulkan.

Poszukałam więc informacji w fachowych źródłach i dowiedziałam się, że nie chodzi o to, aby wykazywać się cierpliwością przez cały dzień. Rzecz polega na tym, aby być cierpliwym, lecz wcześniej ustalić granice. Przecież moje córki nie miały najmniejszego zamiaru pamiętać, że przez cały dzień byłam cierpliwa; jedyną rzeczą, jaką zapamiętały, był mój wybuch pod koniec dnia!

Gdy nauczyłam się obniżać sobie poprzeczkę, byłam w stanie zachować prawdziwą cierpliwość przez cały dzień. Dzieci przyzwyczaiły się do surowszych ograniczeń, a moja cierpliwość jest (często) niewyczerpana.

Pomyśl o sposobach obniżenia poprzeczki stresu również w innych aspektach życia. Jeśli to właśnie ty każdego roku organizujesz przyjęcie-niespodziankę z okazji urodzin szefa albo zgłaszasz się na ochotnika, aby „na wczoraj" wykonać jakieś zadanie, zacznij pozwalać, żeby inni wzięli na siebie te niewdzięczne i nieopłacalne obowiązki. Od czasu do czasu możesz ostatecznie wykonać jakiś dodatkowy projekt, lecz upewnij się, że nie jesteś jedyną osobą, która zostaje po godzinach. Wkrótce zrozumiesz, że ogrom dodatkowego stresu był spowodowany twoją niezdolnością do ustanowienia granic w pracy. Sztuka polega na tym, by zdać sobie sprawę z uczucia napięcia i przygnębienia, zanim ono wymknie się spod kontroli. Gdy obniżysz swoją poprzeczkę w biurze, będziesz zaskoczona i zdziwiona znacznie mniejszą ilością stresów.

Nauczyłam się jednej rzeczy: jeśli wysoko ustawisz poprzeczkę odporności na stres, przysporzy ci to jeszcze więcej napięć. Obniż ją więc, a przekonasz się, że będziesz miała dużo więcej cierpliwości, opanowania, a twoja rodzina odniesie dzięki temu nieocenione korzyści.

37

Pozwól dzieciom dorosnąć

Jeśli dane jest ci szczęście posiadania dzieci, musisz pamiętać, że w zasadzie polega ono na tym, jakie są i jakie będą w przyszłości. Jesteśmy za nie odpowiedzialni przez względnie krótki okres ich życia i prowadzimy je aż do chwili, kiedy osiągną życiową samodzielność. Kahlil Gibran przepięknie sformułował znaczenie tej strategii w swojej książce pod tytułem *Prorok*: „Jako rodzice powinniśmy pozwolić naszym dzieciom dorosnąć i stać się odrębnymi ludźmi. Nie powinniśmy oczekiwać, że będą dokładnie takie same jak my".

Jako rodzice powinniśmy również przemawiać do swoich dzieci czynami, a nie tylko słowami. Dzieci oczekują, że będziemy dla nich przykładem i pokażemy im, jak żyć i kształtować związki z innymi ludźmi. Są jak gąbki, które chłoną dosłownie wszystko, a to czasami może nas trochę przerażać! Przede wszystkim trzeba zdać sobie sprawę, że nieodłączną cechą naszego człowieczeństwa jest to, że nie jesteśmy doskonali. Nasze dzieci tyle samo uczą się z naszych błędów rodzicielskich, ile ze swoich własnych. Jeśli popełnisz błąd, musisz się do niego przyznać, aby twoje dzieci zrozumiały, że każdy jest tylko człowiekiem. I że popełnianie błędów nie jest niczym złym, jeśli tylko potrafi się za nie szczerze przeprosić. Dzieci okazują się wspaniałymi nauczycielami, gdyż są świetnym odbiciem tego, co widzą.

Nasza młodsza córka, Kenna, dała nam wyjątkową szansę, abyśmy pozwolili jej dorosnąć, a stało się to dość wcześnie. Kiedy miała sześć lat, uświadomiła sobie, że mięso pochodzi od zwierząt, które kiedyś żyły. W tej samej chwili, gdy zdała sobie z tego sprawę, została wegetarianką. Richard i ja zorientowaliśmy się, że to nie wymówka, by nie jeść nie lubianych potraw, ponieważ przedtem była dość mięsożerna, zajadała się hot dogami, stekami i bekonem. To była jej pierwsza prawdziwa moralna decyzja oparta na współczuciu i zrozumieniu. Powiedziała: „Mamusiu, wiem, co czują te zwierzęta. Nie mogę ich jeść". Z egoistycznego punktu widzenia nie byłam tym szczególnie zachwycona, ponieważ jadłospis naszej rodziny był już i tak dość skomplikowany (Jazzy była na diecie bezglutenowej w związku z alergią i mięso było jedną z jej podstawowych potraw; Kenna nie mogła jeść z kolei zbyt dużo przetworów mlecznych ze względu na astmę), lecz wiedziałam, że muszę ją wspierać. Musiałam zaakceptować jej zdolność do samodzielnych moralnych wyborów.

Jako rodzice balansujemy na bardzo cienkiej linie. Jeśli zanadto identyfikujemy się ze swoimi dziećmi i traktujemy je jak swoją własność, w końcu odkrywamy, że próbujemy je kontrolować. Będzie nieporównanie korzystniej, jeśli ustalimy im jakieś granice, w ramach których będą mogły dokonywać prawidłowych wyborów i podejmować decyzje. Czasami dokonają takiego wyboru, jakiego dokonałabyś sama, a czasami wprost przeciwnie. Już wtedy, kiedy uczyły się chodzić, upadały i obijały sobie głowy, byłaś przy nich, żeby je uspokajać, dodawać im otuchy, ale nie mogłaś zapobiec każdemu wypadkowi. Tak samo dzieje się wówczas, gdy pozwalasz dzieciom dorastać, zgadzając się, by dokonywały wyborów opartych na ich własnym systemie wartości.

Inną rzeczą, na którą matki muszą szczególnie uważać, jest niebezpieczeństwo przenoszenia ich własnych wyobrażeń na córki. Nie chodzi tutaj na przykład o sprawy wyglądu ani też o trzymanie się z dala od problemów, które mają ze swoimi przyjaciółkami. Problemem jest tutaj pokusa wtrącania się w każdy konflikt, zwłaszcza wtedy, gdy pojawiają się łzy i zranione uczucia. Dziewczęta zawsze chętniej omawiają „swoje sprawy" z koleżankami. My, jako matki, powinnyśmy służyć córkom pomocą i wsparciem, gdy nas o to poproszą, nie czyniąc ich spraw naszymi sprawami. Pamiętaj również, że każda historia ma zawsze dwa oblicza oraz że istnieje prawdopodobieństwo, iż twoja córka jest aniołem jedynie w dziewięćdziesięciu procentach. Doświadczenie jest czasem najlepszym nauczycielem; nasze dzieci uczą się, jak traktować ludzi i pielęgnować długotrwałe przyjaźnie, zarówno od siebie nawzajem, jak i od nas.

Richard i ja zdajemy sobie sprawę, że w naszej rodzicielskiej podróży staniemy jeszcze wobec wielu wyzwań. Miarą naszego sukcesu będzie umiejętność prawidłowego wychowania i jednocześnie zrozumienie, że wiele wyborów, których dokonają dzieci, będzie różniło się od tych, których dokonalibyśmy sami. Jako dorośli zabiorą ze sobą to, czego nauczyliśmy ich naszym przykładem, a zostawią to, co wynikło z ich własnych wyborów. Dorosną i staną się odrębnymi i niezależnymi istotami!

38

Napisz list i zobacz, w jakim jesteś miejscu

Czy chciałabyś wiedzieć, gdzie jesteś w swoim związku z matką, ojcem, mężem, najlepszą przyjaciółką, córką, synem lub siostrą? Jeśli miałabyś jutro umrzeć, co powiedziałabyś najważniejszym ludziom swojego życia? Wypróbuj tę strategię, aby dowiedzieć się, gdzie jesteś w swoich związkach z ludźmi, na których najbardziej ci zależy. Usiądź i napisz szczery list.

Nie pisz go jednak z zamiarem wysłania czy przekazania adresatowi. W ten sposób możesz przelać na papier to wszystko, co leży ci na sercu, i jednocześnie nie martwić się, jak zostanie przyjęte. Zrób to, gdy będziesz wyciszona i nastrojona refleksyjnie.

Gdy skończysz, przeczytaj list i zwróć uwagę na jego ton. Czy byłaś skruszona i pokorna? A może napisałaś go z miłością i współczuciem? Czy byłaś zła i obrażona? Czy podziękowałaś tej osobie za to, co wniosła w twoje życie? Pisałaś o spełnieniu czy o żalu?

Najważniejsza część tej strategii polega na tym, że jeśli już raz określisz, czy twój związek jest w dobrej kondycji, czy też nie, to nigdy nie jest za późno na zmianę! Trzymaj się zasady, że jeśli masz siłę, by coś zmienić, robisz krok do przodu i zmieniasz to.

Jeżeli w liście przepraszasz, to niechybna wskazówka, że jesteś gotowa prosić o przebaczenie. Nie pozbawiaj ukochanej osoby możliwości uleczenia ran.

Jeśli list był pełen wdzięczności, rozkoszuj się i raduj świadomością, że twój związek jest spełniony. Jeśli sądzisz, że to właściwe i stosowne, możesz podzielić się swoimi odkryciami z tą szczególną osobą, do której napisałaś. Nie ma nic lepszego, niż usłyszeć, jak bardzo jesteś kochana i jak wiele dobrych rzeczy wniosłaś w życie drugiego człowieka.

Jeżeli twój list jest pełen gniewu, oburzenia i żalu, zastanów się, jakie kroki mogłabyś teraz podjąć, żeby zmienić te uczucia. Prawdopodobnie ta druga osoba czuje dokładnie to samo. Pod koniec życia nigdy nie będziemy żałować, że uleczyłyśmy jakiś związek, wyciągając rękę do drugiego człowieka i przyjmując na siebie przynajmniej połowę odpowiedzialności za złe uczucia. Jeśli pokażesz zmianę w swym sercu, ta druga osoba z pewnością na nią zareaguje, choć może tego nie uzewnętrznić. Otrzymasz wówczas szczególną nagrodę, którą będzie świadomość, że zrobiłaś wszystko, co mogłaś, aby uzdrowić ten związek.

Najbardziej boję się tego, że kiedyś spojrzę za siebie i poczuję żal, zwłaszcza do tych ludzi, z którymi dzieliłam życie. Jakiż wspaniały dar możesz sobie sprezentować, naprawiając swoje związki, zanim będzie za późno! Wypróbuj tę strategię i sprawdź, w jakim miejscu się znajdujesz. Gdy przemyślisz to, co napisałaś, spróbuj zmienić w stosunkach z ukochanymi ludźmi wszystko, co tylko jest w twojej mocy. A jeśli tego zapragniesz, zdobądź się na odwagę i wyślij list!

39

Zbieraj i wyrzucaj

Kobiety są z natury zbieraczkami. Bez względu na to, czy jesteśmy pracującymi mamami, czy też nie, ogólnie mamy tendencję do gromadzenia żywności, ubrań i różnych sportowych sprzętów dla naszych rodzin. Na dodatek zbieramy również meble, naczynia, garnki i patelnie oraz wszystko, co może się przydać w naszym gospodarstwie. Niektóre z nas posuwają się nawet do tego, że gromadzą praktycznie wszystko, co wpadnie im w ręce! Uważam się za najlepszą wśród zbieraczek; mój problem polega jednak na tym, że nie potrafię pozbyć się starych rzeczy.

Przynoszenie rzeczy do domu nie jest żadną sztuką; chodzi o to, by pamiętać, że kiedy zbierasz coś nowego, musisz pozbyć się starego. Z wypraw do supermarketów wracam do domu z dziesięcioma nowymi rzeczami, których potrzebuje moja rodzina. Jeśli pojadę do sklepu raz w tygodniu (nie licząc oczywiście innych zakupów, które oprócz tego robię) i kupię dziesięć artykułów nie przeznaczonych do jedzenia, będę przynosić do domu czterdzieści nowych rzeczy miesięcznie, a czterysta osiemdziesiąt rocznie! Do tego mnóstwa rzeczy dochodzą podarunki otrzymane z okazji urodzin i Gwiazdki oraz wszystko, co zbierają pozostali członkowie mojej rodziny. Nasze córki są już bardzo dobrymi uczennicami „mistrzyni zbieractwa". Richard ma wstręt do zaśmiecania i rozgardiaszu, w związku z czym dziewięćdziesiąt dziewięć procent gromadzenia i zbierania pozostawia swoim kobietom.

Uczymy dzieci również strategii pozbywania się niepotrzebnych rzeczy. Kiedy idą na zakupy i wracają do domu z nowymi rzeczami, muszą potem wybrać coś ze swojej szafy i oddać komuś, kto może jeszcze z tego skorzystać. Jest to absolutnie konieczne, gdyż w naszej szafie nie ma już ani odrobiny wolnego miejsca.

Czy zwróciłaś uwagę, że w większości starych domów (takich jak nasz) i mieszkań nie ma zbyt dużych szaf ściennych? Myślę, że kiedyś ludzie kupowali tylko to, co było im naprawdę potrzebne, a choroba posiadania coraz większej ilości rzeczy stała się utrapieniem naszego społeczeństwa. Zamiast mieć jedną potrzebną rzecz, mamy trzy takie same, lecz w różnych kolorach!

Wiele lat temu ludzie płacili jedynie gotówką. Szał kart kredytowych, który wybuchnął w latach osiemdziesiątych, stał się ważną lekcją dla wielu z nas. Mnie nauczył tego, że kupowanie na kredyt jest straszną pułapką. Próbując zapłacić potem za te wszystkie rzeczy, czujesz się jak chomik na karuzeli! Koszty mojego utrzymania są dość niewielkie, dopóki nie weźmie się pod uwagę mojej karty kredytowej! W każdym razie korzystanie z takiego systemu płatności było dla mnie wielką nauczką.

Bardzo istotną sprawą jest ustalenie pewnych standardów, które pomogą ci w pozbywaniu się niepotrzebnych rzeczy. Jeśli zamierzasz na przykład posprzątać swoją szafę z ubraniami, ustal wcześniej jakieś podstawowe zasady. Jeżeli nie nosiłaś czegoś od pół roku lub od poprzedniego sezonu, odłóż to na bok. Ja oddaję swoje ubrania do miejscowego schroniska dla maltretowanych kobiet, ponieważ wiem, że tam zostaną przyjęte z wdzięcznością i dobrze wykorzystane. To z pewnością zabiera mniej czasu niż próba sprzedaży, a przy okazji pomagasz komuś, kto tego naprawdę potrzebuje.

40

Przestań płynąć pod prąd

Dorastałam nad północno-zachodnim Pacyfikiem i wielokrotnie przyglądałam się łososiom płynącym pod prąd. Było to jedno z najpiękniejszych i najbardziej zadziwiających zjawisk natury, jakie kiedykolwiek widziałam. Łososie płyną w górę strumienia w celu zachowania gatunku, natomiast my nie musimy tracić w ten sposób energii, gdyż w rzeczywistości obróciłoby się to przeciwko nam.

Wiesz, że płyniesz pod prąd, kiedy wytężasz wszystkie siły, a nie osiągasz, a przynajmniej nie zbliżasz się do oczekiwanego rezultatu. Pływanie pod prąd oznacza walkę, której nie możemy wygrać bez względu na nasze wysiłki i starania; nawet wtedy, gdy wszystko idzie zgodnie z planem! Zamiast być zainspirowana i usatysfakcjonowana swoim działaniem, czujesz się jedynie niewiarygodnie zmęczona, przygnębiona i zdruzgotana. Chce ci się krzyczeć, że już nie wytrzymasz!

Kłótnia jest innym sposobem pływania pod prąd. W dyskutowaniu różnych punktów widzenia nie ma z pewnością nic złego, na przykład w polityce, dopóki pozostajesz obojętna na rezultat (to znaczy, jeśli twoim podstawowym celem jest zachowanie spokoju i szczęścia). Weź jednak pod uwagę, że są pewne sprawy, na przykład w religii czy polityce, co do których dwie osoby nigdy się nie zgodzą i nie dojdą do porozumienia. Próba dzielenia się swoim doświadczeniem z niewłaściwą osobą i oczekiwanie, że się z tobą zgodzi, jest trochę jak dyskusja o fizyce kwantowej z dwuletnim dzieckiem. Osobiście wolę z szacunkiem i bezstronnym poczuciem humoru posłuchać osoby, która ma odmienny punkt widzenia, niż angażować się w dyskusję, która podniesie mi ciśnienie.

Na szczęście skłonność do pływania pod prąd jest całkowicie odwracalna. Czasami jest to tak proste, jak wykazanie się odrobiną pokory, która pozwoli ci przyznać, że walczysz zbyt ciężko. Pokora i rozpoznanie problemu mają niezwykle kojący i uspokajający wpływ na twoją duszę, co pozwoli ci rozważyć zmianę postawy. Następnym razem, gdy poczujesz, że płyniesz pod prąd, zastanów się nad zmianami, które ustawią cię na fali bardziej umiarkowanego kierunku. Rezultat będzie taki sam jak podczas spływania z prądem rwącego strumienia.

41

Nie kieruj z tylnego siedzenia

Jest tylko kilka rzeczy gorszych od jazdy z osobą, która siedzi na tylnym siedzeniu twojego samochodu i zasypuje cię instrukcjami. Jeśli takie rady nie są naprawdę konieczne, na przykład w jakimś nagłym wypadku lub gdy kierowca czegoś nie widzi, kierowanie z tylnego siedzenia jest rzeczywiście zbędne.

To samo można powiedzieć o pewnym zjawisku, które można nazwać „życiem z tylnego siedzenia". Zdarza się tak wówczas, gdy ktoś próbuje przeżyć życie za inną osobę lub żyć jej życiem. Klasycznym przykładem takiego postępowania jest rodzic, który zawsze pragnął zostać wielkim sportowcem lub muzykiem, lecz nie był w stanie tego urzeczywistnić. Potem zmusza swoje dzieci i wywiera na nie presję, by realizowały jego marzenia, przekraczając przy tym wszelkie granice. Poczucie własnej wartości takiego rodzica jest ściśle uzależnione od tego, czy dzieci zrealizują jego plan.

„Życie z tylnego siedzenia" jest szalenie stresujące. Nie tylko maksymalnie zraża i odsuwa od ciebie ludzi, którym próbujesz ustawiać życie; ty również odczuwasz wielki ciężar stresów i rozczarowania z powodu spraw, nad którymi nie masz kontroli. Dość trudno zachować spokój, gdy przegrywasz w tenisa własny mecz, lecz zupełnie niemożliwe jest zapanowanie nad emocjami wtedy, gdy twoje dobre samopoczucie zależy od tego, czy twojemu dziecku uda się wygrać turniej albo czy twój chłopak ma ambicje, które według ciebie powinien mieć!

Podtrzymywanie na duchu, wspieranie, entuzjazm to zupełnie inne tematy. Mam tutaj na myśli przekroczenie pewnej granicy i wejście na bardzo niebezpieczne terytorium, gdzie ta druga osoba czuje się naciskana i nieakceptowana, a ty jesteś zestresowana!

Kluczem do przełamania tego zwyczaju jest przede wszystkim pokora, która pozwoli ci przyznać się przed sobą, że od czasu do czasu wprowadzasz w czyn „życie z tylnego siedzenia". Dzięki temu, że zidentyfikujesz siebie w tej roli, będziesz mogła zrobić krok do tyłu i spojrzeć z szerszej perspektywy. Kiedy już się zorientujesz, że „kierujesz z tylnego siedzenia", reszta będzie łatwa: postaw się po prostu w sytuacji tej drugiej osoby. Wyobraź sobie, że ktoś próbuje sterować twoim życiem, zawsze zagląda ci przez ramię, oferuje spontaniczne rady, ocenia twoje działania, pokazuje swoje rozczarowanie i dezaprobatę i tak dalej. Kiedy już wyobrazisz sobie, że przytrafiło ci się coś takiego, bez trudności zorientujesz się, jakie to może być przykre. A potem nauczysz się współczuć i trzymać na uboczu.

Jednym z największych darów, jaki możesz ofiarować ukochanej osobie, jest uświadomienie jej, i to w sposób niedwuznaczny, że kochasz ją i akceptujesz dokładnie taką, jaka jest. Nie musi się zmieniać ani przyjmować twoich rad; ty po prostu ją kochasz. Jeśli wiemy, że w naszym życiu są ludzie, którzy nam ufają i poprzez swoje działania pokazują, że w nas wierzą, czujemy się bardzo pokrzepione.

Życie jest magicznym darem, którego trzeba strzec jak skarbu. Może powinnyśmy pozwolić innym, by mogli doświadczać tego daru bez ciężaru naszego „kierowania z tylnego siedzenia". Pozbycie się tego przyzwyczajenia jest podarunkiem dla tych, których kochamy, i dla nas samych.

42

Twórz wewnętrzne piękno

Czy przyglądałaś się kiedyś jakiejś pełnej życia, wesołej, dynamicznej kobiecie, która promieniuje energią, światłem, charyzmą i pewnością siebie? Czy przyjrzałaś się jej dokładniej i zauważyłaś, że w tradycyjnym pojęciu wcale nie jest piękna? Jednak jej uroda jest niezwykle przyciągająca, ponieważ pochodzi prosto z wnętrza.

Historia o brzydkim kaczątku, które zamienia się w pięknego łabędzia, zawsze pozostaje bliska mojemu sercu. Brzydkie kaczątko i łabędź to zawsze ta sama istota. Gdy kaczątko dojrzewa i dorasta, zamienia się w majestatycznego łabędzia i zachwyca zewnętrznym pięknem.

Z nami jest dokładnie tak samo. Dorastamy i uświadamiamy sobie, kim jesteśmy i jakie jest nasze wnętrze. To przemiana w kobietę, która zdaje sobie sprawę z tego, że związek pomiędzy ciałem a duszą jest tym samym, czym transformacja brzydkiego kaczątka w pięknego łabędzia. Jeśli jesteś szczęśliwa wewnętrznie i połączona ze swoją duszą, twoje cechy zewnętrzne nie mają żadnego znaczenia. Jaśniejesz niezwykłym, fantastycznym światłem, które promieniuje z głębi twej duszy.

Gdy czasopisma i programy telewizyjne pokazują kobiety, które zmieniły się z „kopciuszków w królewny", zawsze się zastanawiam, dlaczego nie spróbować wewnętrznej przemiany w prawdziwą piękność i nie sprawdzić, czy to nie przyniesie podobnych rezultatów. Możliwe, że te odmienione kobiety wyglądają lepiej właśnie dlatego, że czują się dobrze we własnej skórze. Nowa fryzura i modne ubranie z pewnością wyglądają dobrze, lecz czynią też cuda dla twojej duszy. Jeśli zmęczonej, niepewnej i nieszczęśliwej kobiecie wskażesz pewne sposoby, które pomogą jej osiągnąć spokój i szczęście, nauczą pogody ducha, z pewnością stanie się też piękniejsza!

Nie ma na świecie osoby, która nie byłaby piękna, jeśli uśmiecha się i przeżywa niczym nie zmąconą radość! Prawdziwe piękno pochodzi z naszego wnętrza i przyciąga innych jak magnes. Jeśli jesteś związana ze swoją duszą, wiesz, co ją wzbogaca i umacnia. Niczym kwiat, który jest piękny tylko wówczas, gdy jest połączony ze źródłem swojego życia, każda komórka twojego ciała doświadcza spokoju płynącego z tego połączenia i promieniuje zdrowiem. Gdy kwiat traci źródło życia, więdnie i umiera; z nami jest dokładnie tak samo. Jeszcze długo przed śmiercią możemy zwiędnąć z braku połączenia z naszą duszą.

Spokojne i szczęśliwe kobiety są również bardziej atrakcyjne dla swoich partnerów. Dzięki mocnemu poczuciu własnej wartości w większym stopniu akceptują swoje ciała, które są niezmiernie pociągające dla większości mężczyzn. Brak pewności siebie zniechęca mężczyzn, nawet jeśli ta niepewna kobieta wygląda olśniewająco. I nie ma nic bardziej nieatrakcyjnego i mniej seksownego niż zewnętrznie piękna kobieta, która ma paskudny charakter!

Kultywowanie wewnętrznego piękna wymaga praktyki i dyscypliny. Musisz więc spędzać trochę czasu wyłącznie ze sobą. Kobiety, które medytują i ćwiczą jogę, często sprawiają wrażenie wiecznie młodych. Płoną blaskiem młodości, a ich oczy tryskają życiem i energią.

Jest wiele sposobów tworzenia wewnętrznego piękna. Chwila ciszy, jednostajne nucenie lub wieczorna modlitwa mogą połączyć cię z twoją duszą. Dyscyplina polega na tym, by każdego dnia znaleźć odrobinę czasu, żeby pobyć sam na sam ze sobą i wyciszyć swój umysł.

Tak naprawdę wszystkie jesteśmy zarówno brzydkimi kaczątkami, jak i pięknymi łabędziami. Jeśli stale podsycasz i pielęgnujesz związek pomiędzy twoim umysłem, ciałem i duszą, zawsze będziesz promieniować spokojem i radością płynącymi z twojego wnętrza i staniesz się pięknym łabędziem.

43

Mój sposób to nie ten sposób – to po prostu mój sposób

Jako kobiety fizycznie nie jesteśmy całkowicie wyjątkowe i jedyne w swoim rodzaju; wszystkie jesteśmy wariacjami opartymi na tej samej bazie. Różni nas natomiast sposób postrzegania świata i interpretowania zdarzeń. W zasadzie doświadczamy wszystkiego nie tylko za pomocą zmysłów, lecz również poprzez interpretację tego, co przeżywamy. Ta interpretacja zależy od naszego własnego zestawu okularów, przez które spoglądamy na świat, przy czym jedna para tych okularów nie jest podobna do drugiej.

Te okulary, lub inaczej interpretacja zdarzeń, określają naszą rzeczywistość. W każdym związku z innym człowiekiem nasza interpretacja zderza się z interpretacją drugiej osoby, a czasami wchodzi z nią w kolizję. W trakcie owej kolizji czy też konfliktu warto pamiętać, że „mój sposób to nie ten sposób – to po prostu mój sposób". Gdy czujemy się zmuszone, by dalej forsować cudze okopy, zrozumienie tego stwierdzenia i powtarzanie go pozwoli ci odkryć w sobie ogromne pokłady współczucia i pokory.

Jeśli mówisz do siebie, że „mój sposób, to nie ten sposób – to po prostu mój sposób", twoja determinacja, aby być „w porządku" bez względu na koszty, powinna mieć dużo mniejszą siłę przebicia. Przyjrzyj się swoim najbliższym: mężowi, chłopakowi, siostrze, bratu, dzieciom, matce i ojcu. Najczęściej zgadzacie się ze sobą, lecz może się zdarzyć, że tak nie będzie, ponieważ każde z was opiera swój sposób postrzegania rzeczywistości na indywidualnym systemie. Łatwo to zauważyć wtedy, gdy rodzeństwo razem dorastające mówi o wspólnym wychowaniu, jakie otrzymało, lecz ma do opowiedzenia dwie zupełnie odmienne historie. Bardzo często zastanawiamy się nawet, jak to możliwe, że tych dwoje dorastało w tym samym domu!

Mary i Susan, które są siostrami, toczą wieczną dyskusję na temat zasadniczych aspektów wychowywania dzieci. Mary, która uważa się za oczytaną i doświadczoną matkę dwójki maluchów, utrzymuje, że rodzinne łóżko (takie, w którym dzieci śpią wraz z rodzicami) przynosi szkodę zarówno dzieciom, jak i stosunkom małżeńskim. Przeczytała wiele artykułów, które potwierdzają to stanowisko. Przedyskutowała również tę kwestię z przyjaciółkami, pediatrami i innymi osobami, które przyznają jej rację.

Susan absolutnie się z nią nie zgadza. Prawdę powiedziawszy, uważa nawet, że Mary nie jest troskliwą i kochającą matką. Jako mama nowo narodzonego dziecka jest przekonana, że rodzicielstwo to dwudziestoczterogodzinna praca i że każdej kobiecie, która nie podziela jej zdania, brakuje prawdziwej rodzicielskiej miłości i poświęcenia dla dzieci. Artykuły, które przeczytała, potwierdzają jej pogląd, że brak rodzinnego łóżka jest przejawem egoizmu.

I kto ma rację? Obie mają mnóstwo dowodów potwierdzających ich zapatrywania, tak samo kochają swoje dzieci i są wspaniałymi matkami. Czy jest możliwe, że obie mają rację, każda ze swojego punktu widzenia?

Jedna rzecz jest pewna: jeśli twoim celem są harmonijne związki z innymi ludźmi, musisz wiedzieć, że podczas gdy twój sposób postępowania sprawdza się doskonale w twoim przypadku, oni mogą postrzegać go zupełnie inaczej. Ten skromniejszy i bardziej pokorny sposób przyjmowania odmiennych punktów widzenia nie osłabia i nie deprecjonuje twoich opinii. Umacnia za to twoją zdolność współczucia oraz zdolność do mniej osobistego traktowania konfliktów.

44

Przestań wyolbrzymiać wady

Potrafimy być niezwykle krytyczne i ostre w osądach wobec innych, zupełnie jakby była to jakaś niekosztowna forma rozrywki. Dzwonimy do przyjaciółki, by delektować się opowieścią o koleżance z pracy, która ośmieszyła się na zebraniu. Powtarzamy negatywne historie. Krytykujemy ludzi za to, że nie pasują do naszych idealnych wyobrażeń. Patrzymy z góry na osoby z nadwagą lub innym problemem fizycznym, a na dodatek bezustannie ganimy się za to, że nie jesteśmy „idealne". Prawdę mówiąc, chętnie nosimy odznakę perfekcjonistki, jakby była symbolem honoru i dobrego imienia. Nieczęsto słyszymy, żeby ludzie chwalili się wzajemnie, a artykuły na czołowych kolumnach gazet nie traktują zazwyczaj o miłości! Wydaje się, że w dzisiejszych czasach miłość jest najrzadziej spotykanym uczuciem.

Doznaję wstrząsu, gdy patrzę na buzię nowo narodzonego dziecka, a jego matka zwraca uwagę jedynie na niemowlęcy trądzik swojego malucha. Wyolbrzymianie wad nie jest niczym innym, jak tylko pewnym niemądrym przyzwyczajeniem. I do tego, niestety, nadzwyczaj zaraźliwym.

Musimy wiedzieć, kiedy myślimy krytycznie i zbyt blisko trzymamy swoje szkło powiększające. Jeśli będziemy rzadziej osądzać i zaakceptujemy pogląd, że wszystko jest takie, jak miało być, staniemy się mniej krytyczne w stosunku do siebie i innych, a tym samym szczęśliwsze.

Wczoraj, po zajęciach gimnastyki, usłyszałam w łazience rozmowę dwóch pań.

– O Boże, widziałaś Helen? – zapytała jedna.

– Owszem, sześć miesięcy temu wyszła za mąż. Kiedyś była bardzo ładna – odpowiedziała druga.

– Właściwie tak, ale co się z nią stało? Może to dobry powód, żeby nie wychodzić za mąż.

Byłam oburzona tym, że te kobiety miały czelność wypowiadać takie okropne komentarze w publicznym miejscu. To doskonała ilustracja sposobu, w jaki mierzymy innych jakąś nadzwyczajną miarą, wyolbrzymiając jednocześnie ich wady. Gdy wygłaszamy tego rodzaju uwagi, świadczy to bardziej o naszej samoocenie i samopoczuciu niż o tym, jak postrzegamy innych.

Tak samo dzieje się wówczas, gdy jesteś zbyt krytyczna wobec siebie. Ja zawsze jestem swoim najostrzejszym sędzią i potrafię aż za wyraźnie dostrzec te pola, na których odczuwam jakieś braki. Przekonałam się jednak, że taki sposób myślenia ciągnie mnie tylko i wyłącznie w dół. Łapiąc się na takich myślach, jestem w stanie z powrotem skierować swoją uwagę na to wszystko, co mam, i nie zajmować się tym, czego nie posiadam.

Poczucie winy jest uczuciem zbliżonym do perfekcjonizmu. Pożegnaj się więc z wyolbrzymianiem swych wad i bezpodstawnym poczuciem winy. Jeśli uwolnisz się od perfekcjonizmu i uświadomisz sobie, że ideał nie istnieje, odzyskasz wolność!

45

Wysławiaj naszą zdolność dawania życia

Gdy rozmyślamy o cudzie narodzin, dochodzimy do wniosku, że wiąże się z nim nieskończona liczba zjawisk budzących podziw i zdumienie. Każdy etap rozwoju nowego życia zapiera nam dech w piersiach: poczęcie, bicie serca płodu, ultrasonograficzny obraz dziecka, które w sobie nosisz, przejście przez kanał rodny i w końcu przytulenie do piersi cudownego, pięknego maleństwa. Tyle wspaniałości, które trzeba wysławiać i czcić!

My, kobiety, zostałyśmy obdarowane nadzwyczajnym zadaniem rodzenia dzieci. To jedyna rzecz, która sprawia, że jesteśmy prawdziwie wyjątkowe i bezcenne dla przetrwania ludzkiego gatunku. Noszenie dziecka, które rośnie wewnątrz naszego ciała, jest wspaniałym duchowym przeżyciem. Wzbogaca nas, dodaje sił i właśnie wtedy jesteśmy w stanie odsunąć na bok wszystkie nasze lęki. Ten proces sprawia również, że większość ojców czuje podziw i zdumienie wobec siły swojej partnerki, a nam, kobietom, pokazuje, ile mocy w nas drzemie. Za każdym razem, gdy na tej planecie rodzi się nowy człowiek, dokonuje się prawdziwy cud. Szkoda, że gazety nie informują o tym na pierwszych stronach!

Przed urodzeniem naszej pierwszej córki, Jazzy, oglądałam film o Indiance z Meksyku, która rodziła dziecko w tradycyjny sposób praktykowany przez plemię Huichole. Dzięki temu zyskałam inne spojrzenie na proces porodu i pozbyłam się strachu wywołanego różnymi przerażającymi opowieściami. Ta kobieta uczyniła z porodu misterium, w którym uczestniczyła zarówno matka, jak i dziecko. To nie tej filozofii uczono mnie w szkole rodzenia.

Obserwowałam, jak Indianka daje życie swojemu dziecku w naturalnych, domowych warunkach, otoczona kobietami, które były dla niej ważne. Kiedy jej skurcze przybrały na sile i rozpoczęła się druga faza porodu, nie skręcała się z bólu, lecz nuciła coś monotonnie, sławiąc bliski już moment narodzin swego dziecka. Towarzyszące jej kobiety również nuciły i masowały plecy rodzącej, przygotowując ją do parcia. Gdy dziecko przeszło przez kanał rodny, Indianka wstała, a wszystkie kobiety zaczęły wznosić okrzyki szczęścia i radości.

Ten film pomógł mi uświadomić sobie, że poród nie jest zdarzeniem, którego trzeba się obawiać. Wprost przeciwnie. Kiedy zaczynając rodzić, jesteś zrelaksowana i ufasz, że twoje ciało wie, jak sobie z tym poradzić – chociaż umysł może nie być tego świadomy – możesz dużo łagodniej przejść przez to, co wielu określa jako ból nie do zniesienia. W trakcie porodu będą oczywiście chwile złego samopoczucia i wzmożonego bólu, lecz jeśli będziesz w stanie postrzegać to wydarzenie w kategoriach święta i celebrować je, taka postawa pomoże ci nawet w najtrudniejszych momentach. Kiedy ból narasta, ty jesteś coraz bliżej chwili, gdy weźmiesz dziecko w ramiona i przytulisz je do siebie.

Mam nadzieję, że często rozmyślasz o narodzinach własnego dziecka i podziwiasz zdumiewający dar, jakim jest w istocie zdolność dawania życia. Wysławiaj ten dar wraz z innymi matkami i zadumaj się nad cudami, jakich może dokonywać twoje ciało. Jeśli jeszcze tego nie przeżywałaś, mam nadzieję, że ta strategia zainspiruje cię i gdy kiedyś zajdziesz w ciążę, będziesz z radością oczekiwać na poród, pomimo tych wszystkich przerażających historii, które usłyszysz. Jeżeli nie możesz mieć dzieci albo nie chcesz, mam nadzieję, że i tak będziesz z podziwem myśleć o cudzie narodzin i przyłączysz się do jego wysławiania.

46

Naucz się medytować i wyciszać swój umysł

Wyciszony umysł jest najlepszym narzędziem do analizowania własnych myśli i uczuć. Jak powiedział Platon: „Życie nie zbadane jest życiem bez znaczenia". Prawdziwy sens życia osiąga się dzięki zrozumieniu swojej własnej natury i dzięki umiejętności akceptowania wszystkich aspektów własnego ja. Wyciszona, spokojna kontemplacja pomaga nam zbudować pomost między naszą podświadomością, której kompletnie nie znamy, a świadomością, i odkryć, kim naprawdę jesteśmy.

Jeśli do tej pory nie są ci znane walory medytacji, pozwól, że podam ci przykład, do którego może się odnieść większość ludzi. Stan wyciszenia umysłu przypomina to, co czujesz, zachwycając się hipnotyzującym pięknem zachodzącego słońca. Możesz wówczas odnieść wrażenie, że czas stanął w miejscu. Chwila, gdy słońce wolno zachodzi za horyzont, wydaje ci się dłuższa niż każda inna. To wrażenie jest bardzo podobne do uczucia wyciszonego umysłu. W tej przestrzeni zyskujesz maksimum kreatywności, refleksyjności i inspiracji. Taki stan sportowcy, artyści, muzycy i pisarze nazywają „byciem na fali". Kiedy jesteś wyciszona, angażujesz się w daną chwilę z pełną przytomnością umysłu.

Wyciszony umysł jest niewyczerpanym źródłem kreatywności. Masz wówczas wrażenie, że pomysły, rozwiązania i mądrość płyną nieprzerwanym strumieniem. W chwilach braku wewnętrznej „paplaniny" i hałasu, tak często obecnego w naszych umysłach, źródło naszej mądrości może wydobyć się na powierzchnię. Życie wydaje się znacznie łatwiejsze do zniesienia i o wiele spokojniejsze, gdy umysł ma szansę odpocząć, ustabilizować się i wyciszyć.

Medytacja daje również inne korzyści: stabilność emocjonalną, wzmożony zmysł intuicji, wewnętrzne przewodnictwo duchowe i dobre samopoczucie. Kiedy medytuję (od piętnastu do trzydziestu minut każdego ranka), uczucie spokoju towarzyszy mi potem przez cały dzień. Jestem wówczas bardziej otwarta na otoczenie, potrafię lepiej słuchać, gdy rozmawiam z ludźmi, reaguję mniej nerwowo w kontaktach z mężem i dziećmi, łatwiej podejmuję decyzje i ustalam priorytety. I jeszcze jedno – po stokroć mniej przejmuję się drobiazgami!

Kiedy medytuję, życie wydaje mi się o wiele bardziej magiczne, choć rzeczywistość jest przecież dokładnie taka sama. Wyciszenie umysłu spowalnia twój wewnętrzny rytm, a to pozwala ci doświadczać wszystkiego, co dzieje się wokół ciebie, z większą świadomością i podwyższoną percepcją.

Medytacja jest wspaniałym narzędziem, które w niezwykły sposób wzbogaci twoje życie. Medytacja buduje również pomost łączący twój umysł, ciało i duszę. Serdecznie zachęcam cię do ćwiczeń z taśmą, książką albo, co jeszcze lepsze, do wzięcia udziału w specjalnych zajęciach. Cokolwiek zrobisz, z pewnością odkryjesz taki sposób medytacji, który będzie dla ciebie najkorzystniejszy. Gdy jakaś forma medytacji i/lub wyciszania umysłu zagości na stałe w twoim rozkładzie dnia, doświadczysz spokoju, który ma swoje źródło w kontakcie z samą istotą twego jestestwa. Twoje życie już nigdy nie będzie takie samo!

47

Wyładuj się (jeden raz) i zrzuć ciężar z serca

Nie wiem jak ty, lecz ja – kiedy jestem czymś naprawdę zirytowana – mam skłonności do wyładowywania swojego oburzenia. I to nie jeden raz! W kółko powtarzam tę samą historię. Zauważyłam, że opowiadam ją najpierw jednej przyjaciółce, potem drugiej, a potem jeszcze jednej, i robię to tak długo, aż zabraknie mi w końcu przyjaciółek do tego opowiadania. I wtedy mogłabym zacząć wszystko od początku z przyjaciółką numer jeden, gdyby nie jej delikatne przypomnienie, że już to opowiadałam. Wyładowywanie uczuć staje się rodzajem sportu. Robimy to, żeby dostarczyć sobie rozrywki, zabić czas i przekonać same siebie, że nasze oburzenie jest usprawiedliwione.

Jednak dzięki obserwacji uczuć innych ludzi i swoich własnych widzę wyraźnie, że takie „ciągłe wyładowywanie się" niszczy wszelkie potencjalnie pozytywne aspekty tego procesu. Podczas gdy jednorazowe pofolgowanie swoim uczuciom może być pożyteczne, a nawet uzdrawiające, nieustające powtarzanie tego samego sprawia, że grzęźniesz jeszcze bardziej, a twoje stresy przybierają na sile. Dostajemy się w tryby błędnego koła i zamiast odczuwać ulgę, jesteśmy coraz bardziej złe, oburzone i sfrustrowane, ponieważ bez przerwy podsycamy nasze przygnębiające myśli. Rzeczy, które nas irytują, karmią się naszą uwagą, a ciągłe wyładowywanie się jest doskonałym sposobem, by „wypchać się" problemami po same uszy.

Przecież celowo nie nasypałybyśmy soli na otwartą ranę, więc jeśli już musimy dać upust swoim uczuciom (a powinnyśmy robić to wyłącznie po to, by wnikliwie ocenić sytuację), spróbujmy zrobić to tylko raz i z jedną osobą, a potem dajmy temu spokój.

Nie ma żadnych wątpliwości, że folgowanie własnym uczuciom może wywierać zły wpływ na twoje małżeństwo. Jedna rozmowa o rzeczach, które cię denerwują, jest najzupełniej uzasadniona, lecz nieustające powtarzanie tego samego koncentruje twoją uwagę wyłącznie na tym, co złe. Przekonałam się, że ciągłe mówienie o tych samych rzeczach jest oczywistą oznaką złego samopoczucia, a szukanie współczucia u kogoś, kto sam jest w kiepskim nastroju, na pewno jeszcze bardziej pogorszy twój stan! Najlepszym sposobem na dobre samopoczucie nie jest więc dalsze wyładowywanie się, lecz przynajmniej chwilowe odłożenie problemów na później. Bądź pewna, że jeśli są naprawdę ważne, nie znikną następnego dnia. Natomiast ty będziesz się czuła dużo lepiej i poradzisz sobie z nimi trochę bardziej rozsądnie i sensownie.

Nie krępuj się więc i pozwól sobie na jednorazowe wyładowanie złości i oburzenia. Zrzuć ciężar z serca i poczuj się wolna. Jeśli zauważysz, że posuwasz się za daleko, spróbuj się powstrzymać. Sprawdź, czy potrafisz oprzeć się pokusie i pohamować negatywne uczucia, które pojawiają się właśnie wtedy, gdy nieustająco oddajesz się tym samym złym myślom. Przypuszczam, że gdy po raz pierwszy oprzesz się pokusie, odczujesz głęboką różnicę. Powodzenia!

48

Ustalaj własne priorytety

Żyjemy w czasach, które zmuszają nas do trwania w ciągłym ruchu. A więc czy jesteś jak ta owca, która ślepo podąża za stadem z powodu irracjonalnego strachu, którego nie jest w stanie opanować? A może kreujesz takie życie, jakiego naprawdę pragniesz, i ustalasz własne priorytety? Jestem za: ustalaj własne priorytety.

Dorównywanie ogółowi i dążenie, by za wszelką cenę nie różnić się od innych, wydaje się nieco śmieszne, kiedy szkolne lata ma się już za sobą. Jednak wiele z nas robi to zupełnie nieświadomie. Niezwykle rzadko potrafimy zdefiniować to, czego naprawdę pragniemy, lub zadać sobie pytanie: „Dlaczego tego chcę?" Jesteśmy wiecznie zajęte, a mimo to dodajemy sobie coraz więcej i więcej pracy. Narzekamy, że jesteśmy dla naszych dzieci wyłącznie szoferami i spędzamy niezliczoną liczbę godzin na woźeniu ich z jednych zajęć na drugie. Jednak to my mamy pełną kontrolę nad planem ogólnym, więc możemy zadać sobie pytanie, ile czasu tak naprawdę poświęcamy na „pełnowartościowe" życie rodzinne.

Jeśli potrafimy być szczere wobec siebie, przyznamy, że bezustannie zapisujemy dzieci na coraz to inne zajęcia, a większość swoich priorytetów opieramy na tym, co dzieje się dookoła. Jeśli nasze dzieci nie robią tego samego co inne, natychmiast przekładamy to na pełne obaw myśli: „Moje dzieci są bez szans. Nie będą miały takich samych możliwości jak inne dzieci w ich wieku. Nie będę dobrą matką, jeśli im tego nie zapewnię".

Tymczasem jedyną rzeczą, jaką może zapewnić tak szybkie tempo życia, jest to, że dzieci – dzięki przyzwyczajeniu – bez trudu przyswoją sobie tę filozofię. I mogę się nawet założyć, że zrobią to jeszcze lepiej niż ty. Życie w wiecznym, bezustannym biegu... Prawdopodobnie nie zapamiętają nic ze swojego dzieciństwa, które kiedyś wyda im się kompletnie zamazaną plamą.

A co się stało z „czasem wolnym"? Ile dzieci nadal biega po łąkach, łapie motyle, zrywa dzikie kwiaty i bawi się z wymyślonymi przyjaciółmi? Odpowiedź na pytanie o priorytety jest sprawą bardzo indywidualną. Czy chcesz dać pierwszeństwo bezsensownemu miotaniu się z jednych zajęć sportowych i lekcji tańca na drugie? A może uważasz, że jedne zajęcia w sezonie są zupełnie wystarczające?

Inną rzeczą, jaką zauważyłam, jest przymus, jaki odczuwają rodzice, upewniając się nieustająco, że ich dzieci dotrzymują kroku edukacyjnym standardom. Chciałabym wiedzieć, kto postanowił, że obecni piątoklasiści muszą się uczyć tego, co my przerabialiśmy dopiero w siódmej klasie? Liczba godzin, które Jazzy musiała spędzać w piątej klasie nad zadaniami domowymi, i stopień trudności tych zadań wprawiły mnie w osłupienie. A jeszcze większy szok przeżyłam wówczas, gdy usłyszałam wypowiedzi rodziców, którzy uważali, że to za mało. Pewnego dnia zapytałam Jazzy, która miała wówczas dziesięć lat, dlaczego nie wyjdzie na dwór i się nie pobawi. Odpowiedziała mi z przygnębieniem, że ma zbyt dużo pracy. „Już dłużej nie mogę być dzieckiem!" – dodała. Rety, czyż dzieci nie nazywają rzeczy po imieniu?

Z jednej strony chcę, żeby moje córki robiły to, czego wymaga od nich szkoła, ponieważ to uczy je odpowiedzialności, a z drugiej – nie zgadzam się na tę ilość pracy, która jest im zadawana. Jak powiedziałam już w innym rozdziale, dzieciństwo mija bardzo szybko i mamy tylko jedną szansę, by tworzyć dla naszych dzieci te wszystkie wyjątkowe wspomnienia. Pragnę, żeby moje córki dorosły i powiedziały: „Czyż nie było wspaniale być dzieckiem?"

Zastanów się więc, jakie są twoje prawdziwe priorytety, i bądź im wierna. Musisz wciąż pytać siebie i swoją rodzinę: Czy nie wzięliśmy na siebie zbyt wiele? Czy zajęcia, które wybraliśmy, przynoszą nam korzyść, czy może są tylko nadmiernym obciążeniem? Czy nasze dzieci nie żyją pod zbyt wielką presją? Czy my sami jej nie ulegamy?

Ustal własne priorytety; oceń i przemyśl styl swojego życia. Żyj tak, jak tego pragniesz, zgodnie ze swoim systemem wartości. Przestań się miotać tylko dlatego, że „musisz trwać w ciągłym ruchu". Dzięki takiej postawie zrzucisz z siebie wielki ciężar, a nagroda będzie naprawdę wielka!

49

Nie podróżuj z nadwyżką bagażu

Wszystkie spędziłyśmy takie wakacje, na które zabrałyśmy za dużo bagażu. Wlokłyśmy go potem za sobą, co przeszkadzało nam cieszyć się urlopem. Pakujemy ciężkie walizy i zabieramy ze sobą tyle rzeczy, że nawet nie jesteśmy w stanie znaleźć tego, czego szukamy. Podróżujemy więc z nadwyżką bagażu! Potem przysięgamy, że już nigdy więcej tego nie zrobimy. Ale zazwyczaj kończy się tak, że następnym razem popełniamy ten sam błąd. Każde wakacje przynoszą ze sobą nadzieję, obawę bądź fantazję: „A może tym razem to naprawdę się przyda".

Twój emocjonalny bagaż może ci ciążyć w ten sam sposób, chyba że nie postrzegasz go jako „nadwyżki" i nie musisz czegoś za sobą ciągnąć. Odrobina pokory i ciągłego przypominania sobie o tym może ułatwić ci pokonanie długiej drogi do pozbycia się emocjonalnego ciężaru.

Większość z nas wymaga pewnej ilości bagażu „materialnego". Jeżeli jesteś szczęśliwą posiadaczką samochodu, możesz myśleć o nim jako koniecznym bagażu. Dla wielu ludzi, w tym i dla mnie, samochód jest naprawdę niezbędny. Ale razem z samochodem pojawia się również nieodłączna udręka: opłaty, utrzymanie, dbanie, czyszczenie, mycie i cała reszta. Większość z nas nie chciałaby mieć dziesięciu samochodów, nawet jeśli byłoby nas na nie stać. Wszystkie sprawy z nimi związane i czas, który musiałybyśmy im poświęcić, doprowadziłyby nas do szału! Tak samo jest z nadmiarem innych rzeczy. Pewna ilość jest zupełnie w porządku, ale kiedy granica zostaje przekroczona, wszystko sprawia nam więcej kłopotu, niż jest warte. Może się skończyć na tym, że będziesz spędzać większość czasu na zajmowaniu się rzeczami, które miały ci przynieść radość. Będziesz więc sortować, czyścić, chronić, przestawiać, zabezpieczać, szukać wolnego miejsca, dbać, i tak bez końca.

Bagaż emocjonalny jest również konieczny. Wszystkie pochodzimy z jakichś rodzin, a żadna rodzina nie jest przecież doskonała. Mamy swoje ograniczenia i doświadczenia życiowe. Mamy też osobowość i swoje kaprysy. Większość z nas w jakiś sposób doświadczyła bólu i smutku. Mamy także zasób pewnych okoliczności, warunków oraz obowiązków, które musimy bezwzględnie wypełniać. I nikt nie jest tu wyjątkiem!

Lecz za tym wszystkim może się kryć również „nadwyżka" bagażu emocjonalnego – podtrzymywanie gniewu lub urazy, wyobrażanie sobie problemów, które w ogóle nie istnieją, nadawanie sprawom niewłaściwych proporcji, tendencja do zbyt gwałtownych reakcji, nadmierne litowanie się, skupianie na tym, co złe, zamiast na tym, co dobre, przejmowanie się drobiazgami i tak dalej. To wszystko spycha cię ku krawędzi i sprawia, że potykasz się o samą siebie. Kiedy wleczesz za sobą taki nadmierny bagaż emocjonalny, nie potrzebujesz już niczego więcej, ponieważ żyjesz przeszłością.

To zupełnie tak, jakbyśmy nieustannie patrzyły na nasze życie przez zamglony stary filtr, bez przerwy odwołując się do momentów z przeszłości i oczekując, że obecne doświadczenia będą takie same. Kiedy patrzymy na życie z pozycji przeszłości, tracimy perspektywę i świeże spojrzenie na rzeczywistość. Spodziewamy się, że wszystko będzie się toczyć w określony sposób, który znamy z przeszłości, i niczego poza tym nie dostrzegamy.

Jestem przekonana, że kobiety są niewiarygodnie silne i potrafią przetrzymać niemal wszystko, co im się w życiu przytrafia. Jednak codzienność składa się z wielu drobiazgów i zdarza się tak, że któryś z nich staje nam na drodze i sprawia, że życie staje się nie do zniesienia.

Spakowanie lżejszej, mniejszej walizki przynosi wielką ulgę w trakcie podróży; tak samo dzieje się wówczas, gdy wyrzucisz nadwyżkę bagażu i pozbędziesz się ciężaru emocjonalnego. Otwórz więc „emocjonalną walizkę" i zajrzyj do środka. Może znajdziesz tam kilka rzeczy, których już nie potrzebujesz.

50

Pakuj mało, podróżuj śmiało

Ponieważ w poprzednim rozdziale rozmawiałyśmy o nadmiarze bagażu emocjonalnego, pomyślałam, że byłoby zabawnie zająć się teraz prawdziwym bagażem. Postanowiłaś, że wybierzesz się w podróż dla przyjemności! Lecz cóż może być przyjemnego w dźwiganiu nadmiernego bagażu – w tym dosłownym sensie – który w rezultacie okazuje się zbędny. Dźwigając ciężkie walizki, tracisz mnóstwo energii, a kiedy pod koniec wakacji stwierdzasz, że nie nosiłaś przynajmniej połowy rzeczy, ogarnia cię prawdziwa frustracja.

Uwielbiam podróżować, lecz nie znoszę pakowania. Za każdym razem staję przed otwartą szafą i zastanawiam się, co może mi się przydać. Przyznaję, że pakowanie tylko tego, co niezbędne, nie jest moją mocną stroną. Prawdę mówiąc, w każde wakacje moja przeładowana walizka dowodzi, że znowu nie stanęłam na wysokości zadania. Zawsze czuję się przytłoczona nadmiarem różnych możliwości i marzę, żeby spakował mnie ktoś inny.

Skoro, jak widać, nie jestem ekspertem od pakowania, pomyślałam, że wszystkie możemy skorzystać ze wskazówek mojej przyjaciółki Betty Norrie, która pracuje w Worth Collection i jest konsultantką do spraw damskiej garderoby. Betty jest również wytrawną podróżniczką, która pakuje mało i podróżuje śmiało.

A oto rady Betty na temat rozsądnego pakowania:

• Pakuj ubrania tak płasko, jak tylko możesz; każdy róg walizki wypełniaj jakąś częścią garderoby.

• Każdą rzecz wkładaj do plastikowego worka, w który pakują rzeczy, gdy odbierasz je od czyszczenia; kiedy dotrzesz na miejsce, nic nie będzie pogniecione.

• Skarpetki i inne drobne rzeczy umieszczaj w rogach walizki lub w butach; nie zwijaj pasków – owijaj nimi zewnętrzne krawędzie walizki.

• Pakowanie plecaka: zwinięte ubrania układaj pionowo, abyś mogła je zobaczyć; w ten sposób nie będziesz musiała rozpakowywać się za każdym razem, gdy będziesz chciała coś wyjąć.

• Do uchwytów swojego bagażu przywiąż kolorowe sznurowadła, abyś mogła go bez trudności rozpoznać; dzięki temu nikt nie zabierze ci go przez pomyłkę.

Wybrałyśmy przykład podróży do Europy, lecz w ten sam sposób możesz spakować swoją walizkę, wybierając się w jakiekolwiek inne miejsce. Podróż na Hawaje, wyspy Bahama czy do innych ciepłych krajów wymaga zupełnie odmiennego podejścia. Możesz jednak wykorzystać te wskazówki, by ułatwić sobie pakowanie.

Oto, co powinnaś zabrać w podróż do Europy (trwającą od jednego do czterech tygodni):

- jedną lekką koszulę nocną,
- czarne spodnie (2 pary),
- dżinsy,
- dwie białe koszulki,
- dwie kolorowe,
- czarną sukienkę łatwą do spakowania,
- czarny żakiet lub szal,
- jedną spódnicę długą do kolan lub łydki albo szorty,
- ładną bluzkę, koszulę lub sweter do wkładania przez głowę,
- kolorowe szaliki do zestawienia z czarnymi strojami (3-4 sztuki),
- jedną małą, miękką i płaską, czarną torebkę,
- zmianę bielizny przynajmniej na tydzień (możesz ją przeprać w umywalce hotelowej, korzystając z odrobiny szamponu),
- rajstopy i skarpetki,
- jedną parę czarnych eleganckich butów,
- dwie pary wygodnych czarnych butów do chodzenia,
- jeżeli ćwiczysz, zabierz również zestaw składający się z dwóch podkoszulków i pary sportowych butów (owiniętych w plastikowy worek),
- uprość makijaż; zabierz ze sobą kosmetyki w mniejszych podróżnych opakowaniach (upewnij się, że oddzieliłaś je od ubrań, by w razie czego uniknąć zalania),
- najmniejszą suszarkę, jaka tylko jest dostępna (i nie zapomnij o przedłużaczu),

- małą torbę z materiału na upominki, którą włożysz do zewnętrznej kieszeni walizki.

Gdy lecisz samolotem:
- Ubierz się w wygodny, lecz ładny strój.
- Weź ze sobą płaszcz.
- Zawsze miej przy sobie wszystkie najcenniejsze rzeczy: portfel, paszport, karty kredytowe, biżuterię.
- Jeśli nie możesz zabrać na pokład wszystkich swoich walizek, spakuj jedną podręczną torbę ze zmianą ubrań na wypadek, gdyby reszta bagażu przybyła później niż ty.
- Spakuj mały woreczek na wszystkie rzeczy, które dostaniesz w pierwszej klasie: maskę na twarz, wodę Evian, zatyczki do uszu, skarpetki, szczoteczkę do zębów i pastę.
- Zabierz dmuchaną poduszkę pod głowę,
- Dobrą książkę,
- Dodatkową butelkę z wodą mineralną (pij przynajmniej jedną szklankę na godzinę).
- Zjedz jednego banana – potas pomoże ci znieść problemy ze zmianą czasu.

Aby podróżować bez problemów:
- Zawsze zabieraj walizkę, która ma sprawne i sprawdzone kółka!
- Jeśli pijesz kawę, zabierz mały ekspres, aby uniknąć astronomicznych cen w pokoju hotelowym.
- Aby jak najlepiej poradzić sobie ze zmianą czasu, natychmiast przestaw zegarek na czas kraju, do którego przyjechałaś. Jeśli przyleciałaś na przykład do Europy, wytrzy-

maj do zmroku i połóż się spać o takiej samej porze jak inni mieszkańcy tego kraju.

• Kup plany miast, które zamierzasz odwiedzić. Rozłóż je i z góry zaznacz trasy zwiedzania.

• Zabierz aparat fotograficzny.

Mamy nadzieję, że te wskazówki sprawią, że pakowanie stanie się łatwiejsze i przyjemniejsze. Życzymy ci wspaniałej podróży bez dźwigania nadmiernego bagażu. Przecież na pewno nie chcesz zadręczać się drobiazgami, gdy jesteś na wakacjach!

51

Wyrwij się z błędnego koła

Unikanie wpadania w pułapkę własnych myśli jest niezbędne i konieczne, szczególnie wówczas, gdy zamierzasz z wdziękiem znosić chwile gorszego samopoczucia i nie pogrążać się jeszcze bardziej. Większość z nas ma swoje „mentalne" taśmy, które bez przerwy odtwarzają się w naszych głowach. Te powtarzające się myśli przyczyniają się jedynie do tego, że padamy ofiarą negatywnych przyzwyczajeń mentalnych. A nasze życie, na nieszczęście i na szczęście, jest serią zarówno pozytywnych, jak i negatywnych przyzwyczajeń psychicznych mieniących się różnymi kolorami.

Ten typ mentalnego przyzwyczajenia nazywam „błędnym kołem", z którym mamy do czynienia wówczas, gdy jedna myśl jest ściśle powiązana z następną i tak dalej. Ogólnie mówiąc, wszystkie te myśli można podporządkować pewnemu schematowi. A co charakterystyczne, pojawiają się one wtedy, gdy jesteś w kiepskim nastroju, rozgoryczona lub sfrustrowana.

Teraz chciałabym posłużyć się bardziej osobistym przykładem, który pomógł mi w zrozumieniu własnej dynamiki mentalnej. Przechodziłam wówczas przemianę z kobiety robiącej karierę zawodową w pracującą mamę, a ostatecznie tylko w mamę i gospodynię domową.

Gdy przynieśliśmy do domu naszą pierworodną, przeżyłam prawdziwy szok! Nie miałam pojęcia, jak absorbujące może być macierzyństwo i jakiego poświęcenia wymaga bycie karmiącą mamą. Przedtem pracowałam pilnie w firmie graficznej i wytężałam wszystkie siły dla dobra i sukcesu firmy. Nie da się tego jednak w żaden sposób porównać z całodziennymi i całonocnymi obowiązkami macierzyńskimi. Gdy byłam w ciąży z Jazzy, w pewnym momencie wyobraziłam sobie, że zabieram ją do biura, a ona leży szczęśliwie w kojcu, podczas gdy ja pracuję. To „szczęśliwie" było, jak się później przekonałam, kompletną iluzją; ignorancja może być prawdziwą rozkoszą.

Nastąpiła całkowita zmiana. Musiałam przyzwyczaić się, że plan mojego dnia zawiera teraz niewiele zajęć zawodowych, a za to całodobową opiekę nad dzieckiem. A ja nie byłam odpowiednio przygotowana, by poradzić sobie z niemowlęciem, moją pierwszą córką, która nie odrywała się od mojej piersi. Miała najwidoczniej jakiś instynkt, który kazał jej w ten sposób trzymać się drogocennego życia. Moja do tej pory niezależna natura, zderzyła się ze stuprocentowo zależnym ode mnie niemowlęciem. Często byłam bliska utraty zmysłów, a chwile, kiedy Jazzy z niechęcią tolerowała opiekę Richarda, były bardzo krótkie.

Wtedy zrozumiałam, że kiedy rozważam opcję pogodzenia pracy zawodowej z macierzyństwem, moje myśli układają się według pewnego schematu. Jeśli byłam zmęczona (a z powodu wiecznego braku snu oczywiście byłam), wpadałam w depresję i przygnębienie. Moje myśli bez przerwy krążyły wokół tego, w jaki sposób zdołam zapewnić klientom ten sam poziom pracy, już wcześniej niezmiernie absorbującej, i jeszcze znaleźć czas na wychowywanie dziecka. Spirala myśli ciągnęła mnie coraz bardziej w dół.

Na szczęście, po około dziesięciu tysiącach obrotów tego błędnego koła, doznałam olśnienia i w końcu się wycofałam. Zauważyłam po prostu następstwo określonych myśli, które towarzyszyły mi, gdy byłam zmęczona i przygnębiona. Nauczyłam się mówić do siebie: „Och, znowu to samo. Dziewczyno, przecież tego nie chcesz". I zdołałam z tym skończyć. Była to jedna z najłatwiejszych obserwacji, jakich kiedykolwiek dokonałam, lecz zarazem jedna z najbardziej znaczących i najskuteczniejszych.

Co jest w końcu pierwsze, myśl czy uczucie? Myśl, oczywiście, ponieważ nasze umysły są w nieustannym ruchu. Dopóki oddychamy, dopóty również myślimy. Nie możesz czuć przygnębienia, jeśli najpierw nie masz przygnębiających myśli. Czasami możemy odnosić wrażenie, że jest odwrotnie. Dzieje się tak, ponieważ zapominamy, że myślimy. Zapominamy również, jaki wpływ mają myśli na nasze samopoczucie. Jeśli masz ochotę, wypróbuj to na sobie. Spróbuj się teraz rozzłościć lub zmartwić bez myślenia o czymś, co cię złości lub martwi!

Przedstawiam ten pomysł swoim dzieciom, gdy martwią się czymś, co jeszcze się nie wydarzyło. Mówię: „Wyobraźcie sobie lody. Czy zjawią się przed wami tylko dlatego, że o nich pomyślałyście?" Dziewczynki zdają sobie sprawę, że tak się oczywiście nie stanie. Twoje myśli są tak samo urojone jak te lody; to, że o czymś myślisz, nie oznacza, że owo coś jest prawdziwe. Jeśli zdasz sobie z tego sprawę, zorientujesz się, że myśli to tylko myśli i dlatego trzeba je brać odrobinę mniej poważnie.

52

Wykorzystaj karierę do pracy duchowej

Powiedzmy sobie jasno, że więcej czasu poświęcamy na pracę niż na cokolwiek innego. Jeśli będziesz czekać do niedzieli, żeby zająć się swoją duszą, stracisz najwspanialsze okazje do rozwoju duchowego. A i tak będziesz prawdopodobnie zbyt zmęczona, by odnieść z tego jakieś korzyści. Praca duchowa polega na nieustającym pielęgnowaniu własnej duszy i codziennej trosce o innych ludzi. Możesz to zrobić, wykonując po prostu swoją pracę i żyjąc zgodnie ze swoimi duchowymi zasadami i wartościami.

Nie musisz być Matką Teresą ani Dalajlamą, by traktować swoją karierę jako pracę duchową. Nie ma znaczenia, co robisz, gdyż każde zajęcie gwarantuje kontakty z innymi ludźmi i bez względu na to, gdzie tych ludzi spotykasz, znajdziesz okazję do rozwoju duchowego. Gdy twoja dusza połączy się z duszą innego człowieka, oboje macie doskonałą sposobność, by wzajemnie wspierać własny rozwój duchowy. Wszyscy jesteśmy nauczycielami i doradcami, a cała sztuka polega na tym, abyś potrafiła zaangażować swą duszę w codzienne stosunki z innymi ludźmi. Nie chodzi przecież o to, co robisz, ale jak żyjesz. Właśnie to stanowi o twoim ostatecznym oddziaływaniu na świat. Jak powiedział Gandhi: „Twoje życie jest twoim przesłaniem", a tytuł widniejący na twojej wizytówce nie ma większego znaczenia.

Gdy znajdziesz się w jakimś przykrym położeniu, możesz dokonać wyboru i rozwiązać problem z miłością i współczuciem. Bywają oczywiście takie sytuacje, w których musisz uświadomić ludziom, że są odpowiedzialni za swoje czyny. To jest również twoja duchowa szansa. Sposób, w jaki przedstawisz swoją lekcję, świadczy o twojej duchowości. Zamierzasz przecież nauczyć daną osobę czegoś o jej naturze w procesie wzajemnego oddziaływania. Czy jeśli musisz wypowiedzieć komuś pracę, robisz to z pozycji miłości i współczucia? Twoje działania i uczucia, które się za nimi kryją, świadczą o twojej zdolności do wykonywania pracy w połączeniu z duchową energią.

Moja sąsiadka podała mi pewien cytat, który wspaniale oddaje sens tej strategii: „To, co boskie w tobie, spotyka się z tym, co boskie we mnie, by stworzyć lepsze porozumienie". Pamiętaj o tym, gdy będziesz musiała poradzić sobie z jakimś konfliktem, a znajdziesz w sobie siłę, by spojrzeć na wszystko z pewnej perspektywy.

Ostatnio poznałam pewną kobietę, a okoliczności naszego spotkania były dość niefortunne. Moja pierwsza i ukochana klacz Shasta osiągnęła tak sędziwy wiek, że już dłużej nie była w stanie cieszyć się życiem. Musiałam zdecydować, czy lepiej będzie pozwolić jej spokojnie umrzeć, czy patrzeć, jak bezustannie się przewraca i cierpi. Przez jakiś czas odkładałam decyzję o uśpieniu Shasty, gdyż załatwienie tej sprawy przerastało moje możliwości. W końcu musiałam zadzwonić do weterynarza oraz do służb zajmujących się wywozem inwentarza. Z weterynarzem poszło mi znacznie łatwiej niż z tą drugą sprawą. Przez cały czas prześladowały mnie bowiem okropne myśli o tym, co zrobią tam z jej ciałem.

W końcu wzięłam wizytówkę i zadzwoniłam. Rozmawiałam z bardzo miłą kobietą, która uspokoiła mnie i zapewniła, że postępuję słusznie. Jednak dopiero następnego ranka, gdy ją poznałam, przekonałam się w pełni, że mogę powierzyć jej ukochane zwierzę. Kobieta wysiadła z wielkiej ciężarówki i podeszła do mnie z szeroko otwartymi ramionami. Poczułam wówczas współczucie i troskę, jakie spotyka się u lekarzy pracujących z nieuleczalnie chorymi. Spojrzenie jej oczu było tak kojące, iż wiedziałam, że – choć tak ciężka i niewdzięczna – jest to jej praca duchowa. Pomogła mi, całkiem obcej osobie, przejść przez to wszystko ze spokojnym sercem, gdyż dała mi swoje ciepłe, pełne miłości uczucia. Potrzebowałam emocjonalnego wsparcia, a ona była przy mnie, żeby mi je ofiarować.

Bez względu na to, czy jesteś kobietą interesu, pracownicą hospicjum, matką czy sprzedawczynią, wykorzystaj swoją karierę do pracy duchowej, wkładając duszę we wszystko, co robisz. Poprzez swoją pracę dziel się talentami i umiejętnościami, którymi obdarzył cię Stwórca. Nieważne, co robisz; w ten sposób odnajdziesz swoje spełnienie.

Możesz zadać sobie pytania: Czy wyciągam rękę, gdy ktoś potrzebuje pomocy? Czy jestem w stanie pominąć pierwsze wrażenie, które zrobiła na mnie jakaś osoba, i zobaczyć, co kryje się pod warstwą jej niepewności? Czy umiem dostrzec prostoduszność w czynach innych ludzi? Czy próbuję z miłością i współczuciem uczyć ich odpowiedzialności?

Gdy zaangażujesz duszę w swoją pracę, będziesz miała z niej więcej satysfakcji, niż możesz sobie wyobrazić.

53

Wiedz, kiedy twoje ego zabiera ci to, co najlepsze

Chociaż najlepsze czasy medytacji i jogi przechodzą do przeszłości, poszłam niedawno na kurs, na którym poznałam najlepszą definicję ego, jaką kiedykolwiek słyszałam. Dowiedziałam się, że nasza tożsamość składa się z dwóch części: naszego wielkiego „ja", czyli duszy, oraz mniejszego, którym właśnie jest ego.

Ego przeszkadza nam w komunikacji z naszym prawdziwym „ja", czyli z tym, kim naprawdę jesteśmy. To trochę tak, jakby w jednym ciele mieszkali dwaj ludzie: ten dobry, szczery, łagodny i kochający, który ma dostęp do mądrości i wewnętrznego zdrowia, oraz ten drugi – próżny, chciwy, niecierpliwy, pozbawiony współczucia, zrozumienia, a czasem nawet wrogi.

Słyszymy więc w naszych głowach dwa głosy. Czasami odnosimy wrażenie, że tych dwoje – prawdziwe „ja" i ego – toczy ze sobą walkę. W niektórych wypadkach ego zdobywa przewagę na dłużej, a prawdziwe „ja" pozostaje w ukryciu. Wtedy czujemy się puste i nieszczęśliwe, z wyjątkiem tych chwil, gdy ego jest chwilowo zaspokojone. Kluczem do prawdziwego zadowolenia jest świadomość, kiedy ego zabiera ci to, co najlepsze.

Aż do niedawna nie rozumiałam tego zbyt dokładnie. Lecz ostatnio moje ego stanęło w opozycji do prawdziwego „ja", które jest przecież moją prawdziwą naturą, i pojęłam różnicę. Teraz potrafię bez trudu odróżnić, które z nich doszło do głosu. To całkiem proste: ego zmusza cię do definiowania siebie. Mówi: jestem tym a tym; jestem matką; jestem pisarką; jestem inteligentna i tym podobne. Prawdziwe „ja" mówi tylko „jestem" i nic więcej nie dodaje. „Jestem", gdy spełniam swoje obowiązki macierzyńskie. „Jestem", gdy obdarzam dzieci bezwarunkową miłością, która pochodzi prosto z serca. „Jestem", gdy piszę tę książkę. Jestem sobą, nie określona swoim życiorysem, cechami fizycznymi, osobowością i niczym więcej.

Możesz nadal ze zdecydowaniem rozwiązywać swoje problemy, jednocześnie pozwalając dochodzić do głosu swojemu prawdziwemu „ja". Nie postępujesz wtedy tak, jak postępowałabyś, gdybyś działała z poziomu ego. Twoje kontakty z ludźmi stają się wtedy mniej zgryźliwe i uszczypliwe, łagodniejsze, pełniejsze współczucia. Nie oznacza to przecież, że musisz być osobą, którą łatwo pokonać, lecz z drugiej strony nie musisz się zachowywać jak rozzłoszczone dziecko.

Kiedy zaczynasz odczuwać różnicę między stanem ego a stanem prawdziwego „ja", zaczynasz również zdawać sobie sprawę, ile swobody daje umiejętność stawiania czoła własnemu ego. Twoja inspiracja i spokój umysłu wznoszą się na wyżyny, gdy jesteś w kontakcie z osobą, którą naprawdę jesteś. Ego wprowadza ciągły bałagan i zamęt nie kończącymi się pragnieniami i iluzjami i sprawia, że nigdy nie jesteś zadowolona. Jeśli odczuwasz ból, to według wszelkiego prawdopodobieństwa twój umysł znajduje się właśnie w stanie ego. Gdy nauczysz się rozpoznawać, kiedy ego zabiera to, co w tobie najlepsze, uwolnisz swoje prawdziwe „ja", które jest najlepszą gwarancją szczęśliwego życia.

54

Bądź otwarta na nowe przyjaźnie

Kiedy zawieramy małżeństwo albo jesteśmy w długoletnim związku, nasi mężowie, partnerzy i dzieci wypełniają prawie cały nasz czas, a pozostałe wolne chwile spędzamy z rodziną i starymi przyjaciółmi. Gdy aktualne znajomości i przyjaźnie wypełniają całe nasze życie, odczuwamy pokusę, by zrezygnować z nowych kontaktów. Jednak jest kilka dobrych powodów, by otwierać się na nowe przyjaźnie.

Nigdy nie wiesz, kiedy spotkasz człowieka, który okaże się twoją pokrewną duszą. Może się zdarzyć, że będzie to jedna z tych osób, które mają największy wpływ na twój rozwój duchowy. Wszystkie doświadczyłyśmy czegoś takiego, że poznając kogoś nowego, miałyśmy wrażenie, iż znamy go od zawsze. Ponieważ takie związki nie zdarzają się często i są wyjątkowe, nie powinnyśmy z nich rezygnować tylko dlatego, że czujemy się zbyt zajęte, by wprowadzać w swoje życie nową osobę.

Wszystkie żyjemy po to, by pomagać innym i uczyć się od siebie nawzajem. Może mamy duchowy pakt z niektórymi osobami, aby pomagać sobie nawzajem na ścieżce życia. Zdaję sobie sprawę, że w większości naszych przyjaźni my czujemy się pomocne, lecz wiem również, że mam takich przyjaciół i znam takich ludzi, którzy mnie służą pomocą i przewodnictwem duchowym. Nie wierzę w przypadkowe spotkania i łut szczęścia. Decyduje o tym z pewnością jakaś głębsza przyczyna oraz nasze wzajemne duchowe związki. Bez względu na to, kim jest twoja pokrewna dusza, mężczyzną czy kobietą, musisz być otwarta, by wyjść jej na spotkanie.

Dzięki pewnemu zdarzeniu, które z pozoru wyglądało na przypadek, poznałam jedną z moich najukochańszych przyjaciółek – moją partnerkę do porannego biegania. Zobaczyłyśmy się przy wejściu do parku. Uśmiechnęłyśmy się do siebie, a ponieważ obie biegałyśmy samotnie, było rzeczą zupełnie naturalną, że dalej pobiegłyśmy razem. Cztery lata po tym zdarzeniu nadal razem ćwiczymy. Ludzie pytają mnie, skąd mam tyle samodyscypliny, by ciągle trenować i zachowywać sprawność fizyczną. Odpowiadam jednym słowem – Carole. To ona inspiruje mnie do tego, a dodatkowo jest wspaniałą słuchaczką; spędzamy razem przynajmniej pięć godzin tygodniowo. Rozmawiamy, dajemy upust swoim uczuciom i śmiejemy się. Śmiejemy się tak bardzo, że czasem nie możemy złapać oddechu.

Musimy traktować swych przyjaciół jak bezcenne skarby, ponieważ przyjaźń uprzyjemnia nasze życie i wzbogaca doświadczenia. Bądź więc otwarta na nowe przyjaźnie bez względu na to, jak bardzo jesteś zajęta i zapracowana. Wynikające z tego dobrodziejstwa są nieskończone. Mamy do zaoferowania pokłady miłości, a przyjaźń jest dobrym miejscem, by zacząć.

55

Starzej się z wdziękiem

Starzenie się z wdziękiem jest w naszej nastawionej na młodość kulturze prawdziwym wyzwaniem. Wszystkie reklamy krzyczą: „Młodość!", a nadmierne przejmowanie się tym przesłaniem może okazać się niszczące, jeśli nie przyjmiesz do wiadomości przeciwnej wersji.

Przeprowadziłam wywiad z kilkoma kobietami, które szanuję za wdzięk, z jakim się starzeją. Zapytałam je o nastawienie wobec problemu i styl życia, które pomagają im tak godnie się starzeć. W tym, co powiedziały, odkryłam kilka zbieżności. Podstawą jest oczywiście dbałość o zdrowie fizyczne: właściwe odżywianie, częste picie wody, ćwiczenia fizyczne, odpoczynek i kremy z filtrem przeciwsłonecznym. Przesłanie jest więc zupełnie oczywiste: gdy jesteś zdrowa, dobrze się czujesz i ładnie wyglądasz.

Odkryłam jeszcze jedno podobieństwo: związek pomiędzy ciałem i duszą. Musimy pielęgnować, karmić i oczyszczać nasze dusze w ten sam sposób, w jaki dbamy o nasz wygląd i zdrowie. Jeśli tak postępujemy, nie tylko poprawiamy swój wygląd, lecz również czujemy się młodziej. Kobiety, które starzeją się z największym wdziękiem, odnalazły w swoim życiu pewien rodzaj spokoju i ciszy. Nawet kiedy są nadzwyczaj aktywne, zawsze cenią sobie czas spędzony w samotności. Każda z nich znajduje indywidualną ścieżkę pielęgnowania duszy poprzez modlitwę, medytację, jogę, chodzenie do kościoła, sztukę, uprawianie ogrodu i tym podobne. Musisz znaleźć własny sposób, który wprowadzi spokój do twej duszy.

Te kobiety odczuwają spokój również wtedy, kiedy się starzeją. Nie są przygnębione ani zestresowane ciągłymi próbami odmłodzenia się, za to robią wszystko, co w ich wieku najlepsze. Zachowują optymizm, energię i chęć przygód. Kobiety, które nieustająco podsycają w sobie ducha przygody, starzeją się bez oporu. Stare powiedzenie: „Masz tyle lat, na ile się czujesz" nabiera prawdziwego znaczenia, gdy kończysz pięćdziesiąt lat. Widuję babcie, które robią koziołki razem ze swoimi wnukami i skaczą przez morskie fale niczym młode dziewczyny. Ich zapał i werwa sprawiają, że bije od nich blask, a radość ducha i brak powagi wzmacniają ich witalność.

Wkraczając w średni wiek, uzmysłowiłam sobie, że kobieta musi zaakceptować zmiany, które pojawiają się na jej twarzy i ciele. Kiedyś szalałam, gdy zauważyłam, że moje zmarszczki mimiczne robią się coraz głębsze, a kurze łapki rozchodzą się wokół oczu niczym pajęczyna. Mam jednak to szczęście, że znam wiele kobiet, w tym moją mamę i ciotki, które czują się lepiej, kiedy się zestarzały. Pamiętam, że gdy moja mama przekroczyła czterdziestkę, zapytałam ją, w jaki sposób zachowuje tak pozytywną postawę wobec starzenia się. Odpowiedziała, że dla niej to zupełnie proste, ponieważ teraz jest w lepszej formie niż wtedy, gdy miała dwadzieścia lat, i wobec tego nie ma nic przeciwko temu. Pamiętam, że podziwiałam jej punkt widzenia i miałam nadzieję, że kiedyś będę czuła to samo.

Gdy przybywa nam lat, nasz metabolizm zmienia kierunek, a biodra nabierają innych kształtów. Możemy opierać się tym zmianom, stosując odpowiednie diety i ćwiczenia, lecz w pewnym momencie musimy uznać, że stały się faktem, i widzieć piękno we wszystkich etapach naszego życia. W każdym wieku jesteśmy inne, lecz również piękne. Dzięki Bogu! Gdybyśmy przez całe życie w ogóle się nie zmieniały, zanudziłybyśmy się na śmierć! Jedna z moich przyjaciółek, pięćdziesięciolatka, powiedziała, że w końcu doszła do etapu, na którym może pokochać swój cellulitis i również w nim dostrzegać piękno. (To prawdziwy postęp w mojej książce!)

56

Weź pod uwagę,
że on może się na tym nie znać

Czy kiedykolwiek pomyślałaś, jak śmieszna może być złość na niewidomą osobę tylko za to, że nie widzi? Albo że nie ma sensu gniewać się na dziecko za to, że nie zna się na zegarku i nie prowadzi samochodu? Nauczyłam się, że czasami nie ma również sensu złościć się na dorosłych mężczyzn z powodu pewnych rzeczy, ponieważ prawda jest taka, że oni się na nich po prostu nie znają.

Znam wielu mężczyzn, którzy zupełnie nie znają się na porządku i czystości. Znam też takich, którzy bez trudu podadzą definicję słowa „zorganizowany", lecz nie mają ku temu absolutnie żadnych zdolności.

Mój ojciec jest jednym z tych facetów, którzy potrafią naprawić i złożyć dosłownie wszystko. Tak więc w moim domu rodzinnym „napraw to" nie było żadnym problemem. Jeśli coś się zepsuło, mój tato potrafił to naprawić. Natomiast Richard jest pierwszy do tego, by powiedzieć, że nie zna się na naprawianiu. Dopiero po długich zmaganiach jest w stanie złożyć sprzęty, na których widnieje napis: „Łatwe do zmontowania". Kiedyś po wielu godzinach frustracji i ciężkiej pracy złożył naszą pierwszą kołyskę i przyniósł ją do pokoju dziecinnego. Stanął w progu i od razu przekonał się, że kołyska nie przejdzie przez drzwi. Biedak! Obojętnie, czy chodzi o elektryczność, hydraulikę, czy też o złożenie czegoś dla dzieci, Richard niezmiennie się poddaje i próbuje znaleźć kogoś do pomocy. Gdybym się na niego złościła, byłoby to zupełnie bezproduktywne i bezsensowne. On nie robi tego celowo i nie chodzi o to, że nie próbuje; on po prostu się na tym nie zna! Nauczyłam się doceniać Richarda za jego talenty i uświadomiłam sobie, że przynajmniej w tym względzie z pewnością nie poślubiłam mojego ojca.

Znam wiele kobiet, które czują się sfrustrowane, ponieważ ich mężowie lub partnerzy nie potrafią czegoś zrobić. Zastanów się! Po co się złościć, skoro oni naprawdę się na tym nie znają?

Niektórzy ludzie nie potrafią przyjść na czas i zawsze się spóźniają. Inni z ledwością zagotują wodę. Może są również rzeczy, na których ty się nie znasz, na przykład strategia inwestycji lub dekoracja wnętrz. Chciałabyś, by ktoś wściekał się na ciebie z powodu pewnych twoich słabości? A może wolisz, żeby ten ktoś dał ci spokój i kochał cię taką, jaka jesteś?

Nie zrozum mnie źle. Nie chodzi o to, że masz pozwalać, by inni chodzili ci po głowie i wykorzystywali cię. Ani o to, że nie masz poruszać pewnych tematów lub dyskutować o swoich priorytetach. Prosto mówiąc, rzecz w tym, abyś mądrze wybierała bitwy, które chcesz toczyć. Jeśli jesteś sfrustrowana tym, co robi lub czego nie robi mężczyzna twojego życia, skoncentruj swoją uwagę raczej na tych sferach, w których jakaś zmiana jest przynajmniej prawdopodobna. Jeśli nie jest to sprawa krytyczna lub naprawdę poważna albo jeśli nie doprowadza cię to do prawdziwego szaleństwa, najlepszą strategią jest tolerowanie faktu, że są rzeczy, w których on po prostu nie jest dobry.

To proste rozpoznanie przyniesie olbrzymie dywidendy i podniesie jakość twojego życia. Zamiast tracić czas i energię i denerwować się z powodu rzeczy, których nie można zmienić i nad którymi nie masz kontroli, strząśnij z siebie frustrację i stań się trochę bardziej niefrasobliwa. Jeśli więc on nie zna się na czymś, niech już tak zostanie. Lepiej wykorzystaj swoją energię na coś zupełnie innego. A jeśli on próbuje zrobić coś, czego nie potrafi, uśmiechnij się z uznaniem, a uwagi zostaw dla siebie!

57

Szukaj odpowiedzi w swoim wnętrzu

Wszyscy ludzie rodzą się z wewnętrznym zdrowiem. Oznacza to, że na początku życia wszyscy posiadamy inteligencję, która jest czystą mądrością, nie skażoną przez negatywne uwarunkowania mentalne. Jednak później każdy z nas uczy się, tworzy i w końcu wyrabia sobie pewne przyzwyczajenia, które przeszkadzają w korzystaniu z tej inspirującej i kreatywnej mądrości.

Angażując się bez przerwy w te przyzwyczajenia, zazwyczaj przez nas nie dostrzegane, uczymy się koncentrować naszą uwagę na podnietach zewnętrznego świata. To odrywa nas od emocjonalnego bólu i wewnętrznego cierpienia. Ale jak na ironię, to właśnie emocjonalne rozłączenie z duszą jest przyczyną tego bólu i cierpienia. Z tego wniosek, że jest to jeden z tych podświadomych sposobów postępowania w dobrej wierze, które po prostu się nie sprawdzają.

Założę się, że teraz chciałabyś wiedzieć, w jaki sposób dostać się do swego wnętrza. Wymaga to jedynie dwóch elementów, a mianowicie spokoju i twojej chęci. Musisz znaleźć własną drogę do wewnętrznego wyciszenia. Może to być modlitwa, medytacja, kontakt z naturą, joga, jogging, uprawianie ogrodu, wspinaczka górska lub konne przejażdżki. W ten sposób połączysz się ze swoją duszą, tym płonącym w tobie ogniem, który czeka, by ciągle na nowo go podsycać. Wędrówka do własnego wnętrza wymaga oczyszczenia umysłu. Skoro wypełnisz głowę planami, celami, marzeniami i rozczarowaniami, odwrotna sytuacja jest również możliwa. Łączysz się wówczas ze swoim wewnętrznym „ja" i oczyszczasz swój umysł z bezustannej paplaniny i hałasu. A gdy umysł jest czysty, włącza się twoja wewnętrzna inteligencja i automatycznie zaczyna działać. Decyzje, obowiązki, odpowiedzialność, wszystkie aspekty życia stają się łatwiejsze. Wykorzystałaś chwilę i zrobiłaś z niej dobry użytek.

Gdy nauczysz się doceniać wartość spokojnego umysłu, będziesz pielęgnować swą zdolność do koncentrowania się na danej chwili, wolna od zmartwień, trosk i wewnętrznych cierpień; te wszystkie rzeczy są przyczyną braku pewności siebie, samodestrukcji i niekonsekwencji w zachowaniu.

W rezultacie czujesz się bardziej związana z każdą rzeczą i każdym człowiekiem, który pojawia się w twoim życiu. Będziesz jednocześnie lekarzem i lekarstwem. Kiedy wyciszysz swój umysł, zaczniesz zwalniać tempo i podejmować bardziej wyważone decyzje. Czerpiąc siły do życia wprost ze swojego wnętrza, będziesz mniej zdezorientowana, spokojniejsza, bardziej cierpliwa i kochająca w swoich związkach z innymi ludźmi. Będziesz miała również więcej współczucia, zrozumienia i zdolności do komunikowania się poprzez miłość płynącą prosto z serca.

W obecnych czasach spotykamy wielu charyzmatycznych, inteligentnych ludzi sukcesu w każdym wieku, którzy są duchowo rozbici. Mogą panować nad wyzwaniami zewnętrznego świata, stając się ekspertami w swoich dziedzinach, podczas gdy ich dusze umierają z głodu. Dlatego czują się nieszczęśliwi i przygnębieni, chociaż mogą spełniać wszystkie swoje cele i realizować marzenia.

Rozdzielenie z własną duszą jest przyczyną wielkiego niepokoju i depresji. Uruchamiamy jakieś mechanizmy obronne, które jedynie chwilowo koją nasze wewnętrzne tęsknoty. Każdy nałóg jest tylko symptomem braku połączenia z duszą i sygnalizuje brak wewnętrznego zdrowia. Jednak gdy wnikniesz do swojego wnętrza i na nowo dokonasz tego połączenia, uświadomisz sobie, że dusza jest źródłem głębszych, pozytywnych uczuć. Jest to również warunek twojego rozwoju osobistego, który dla twej duszy okaże się czymś bezcennym i przekroczy twoje wszelkie wyobrażenia.

Piękno naszego człowieczeństwa jest treścią, której poszukujemy z poziomu naszego wnętrza. Tkamy w ten sposób własny gobelin, przetykając każde przyzwyczajenie nicią duchowości. Gdy odnajdziemy swą duszę i nauczymy się pielęgnować związek z nią, będziemy wyleczeni.

Gdy zawędrujesz do swego wnętrza w poszukiwaniu odpowiedzi, od razu będziesz wiedziała, czego potrzebujesz, by odnowić kontakt ze swoją duszą. Zaczniesz doświadczać prawdziwej i trwałej radości oraz spokoju umysłu. Będziesz również cieszyć się światem zewnętrznym i wszystkim, co oferuje, uzupełniając twoje wewnętrzne doświadczenie. I jest to właśnie największa korzyść, jaką odniesiesz!

58

Ubieraj się zgodnie z tym, co podpowiada ci dusza

Tak jak każda kobieta uwielbiam stroje i uważam, że ich wybór może się stać częścią codziennej przygody, na którą niecierpliwie czekamy. Ubieranie się jest jeszcze jednym powodem (przyznaję, że dość zabawnym i powierzchownym), aby wyjść z domu i wyruszyć na spotkanie samej siebie. Przekonałam się, że nie ma absolutnie żadnej potrzeby, by każdego dnia z mozołem podejmować decyzję, w co się ubrać. Wystarczy, że nauczymy się ubierać zgodnie z tym, co podpowiada nam dusza.

Trzeba tylko zamknąć oczy i zastanowić się, co czujesz. Spróbuj ubierać się intuicyjnie i każdego dnia wyrażaj siebie, dokonując wyboru, który odpowiada twojemu nastrojowi.

Zanim podejdziesz do szafy, zamknij więc oczy i zapytaj samą siebie, w jakim jesteś nastroju oraz jaki kolor i styl wyrażą to, co czujesz. Bywają oczywiście takie dni, kiedy jesteś ograniczona swoimi zajęciami, do których musisz dopasować odpowiedni strój. Wtedy twój wybór nie musi koniecznie opierać się na tym, co czujesz. Masz na przykład ochotę, by w ciągu dnia nosić wieczorową sukienkę na wąskich ramiączkach, lecz prawdopodobnie odłożysz ją na właściwą okazję, gdy będziesz chciała zrobić furorę i komuś zawrócić w głowie! Zamiast niej możesz włożyć czarny kostium z jedwabnym szalikiem.

Z ludzkim pięknem jest tak samo jak z pięknem kwiatów: przybiera różne kształty, rozmiary i kolory. Bez względu na to, jak wyglądasz i ile ważysz, możesz mieć swój wyjątkowy, indywidualny styl (lub nawet kilka), który pasuje do ciebie jak ulał. Ubieranie się może być wspaniałą zabawą i fantazyjnym sposobem wyrażania osobowości.

Gdy czujesz się dobrze, bije od ciebie blask. Spójrz wtedy w lustro i przekonaj się, co masz najlepszego. Zrób krok do przodu i powiedz sobie komplement; to naprawdę nie boli!

Znajdź swój indywidualny styl i ciesz się sobą! Pamiętaj, że ubierasz się po to, by wyrazić swoje wnętrze. Dzięki temu pokochasz siebie za to, kim jesteś, a twoja pewność wzniesie się na wyżyny!

59

Używaj symboli, by przypominać sobie
o swojej duszy

Jedynym sposobem na połączenie świata materialnego z duchowym jest tworzenie symboli, które przypomną ci o twojej duchowości. Od wieków czynią tak różne religie, budując świątynie i kościoły pełne bogatych zdobień i symboli. Starożytni Egipcjanie i Grecy oddawali cześć swoim bohaterom i bogom, rzeźbiąc w kamieniu ich wizerunki.

Pewni nasi przyjaciele dają piękny przykład tego, jak można wykorzystać świat materialny i użyć go jako symbolu przypominającego o naszej duchowości. Biorą udział w małżeńskich rekolekcjach, które mają odnowić siłę ich duchowego związku. Prowadzący narysował na tablicy niebieskie serce, które symbolizowało jego wypowiedź na temat komunikacji z poziomu serca. Ten kolor, wybrany zupełnie przypadkowo, tak wyraźnie przemówił do naszych przyjaciół, że postanowili uczynić błękitne serce symbolem swojego związku duchowego. Mają teraz wiele takich symboli, począwszy od kryształowego wisiorka z błękitnym serduszkiem, a skończywszy na dyskretnych tatuażach, które przypominają im o spędzanych wspólnie niezwykłych chwilach.

Odpowiednim, natchnionym miejscem, w którym możesz pielęgnować spokój i pogodę ducha, jest domowy ogród. Jeśli umieścisz w nim kamienie z napisami typu: „harmonia", „spokój", „dobroć", „cierpliwość" i „miłość", będzie to znakomity sposób na ciągłe przypominanie sobie o tych ideałach. A czy jest lepsze miejsce niż ogród, by rozmyślać o nich w czasie porannego lub wieczornego rytuału?

Możesz znaleźć w swojej szafie lub pokoju specjalne miejsce poświęcone duchowym symbolom. My mamy na przykład regał z trzema szklanymi półkami, gdzie przechowujemy nasze kryształy, rysunki i portrety wykonane przez dzieci oraz pamiątki po naszych duchowych nauczycielach. Nie zajmuje to wiele miejsca i doskonale pasuje do wystroju. Tutaj się również modlimy i uprawiamy medytację i jogę, które pomagają nam włączyć ćwiczenia duchowe do naszych codziennych zajęć.

Możesz kolekcjonować również pamiątki duchowych przeżyć, których doświadczyłaś w trakcie swoich podróży. Nie musi to być wyprawa do klasztoru czy innego zacisznego miejsca. Jeśli podczas górskiej wędrówki przeżywasz chwilę wewnętrznego spokoju, możesz zabrać stamtąd mały kamień, który będzie pamiątką tego cudownego uczucia. A jeżeli jesteś na plaży i spacerujesz w cichej zadumie pod gwiazdami, możesz zabrać do domu muszelkę, która przypomni ci, o czym myślałaś podczas spaceru. Ostatnio rozmawiałam z pewnym mężczyzną, który właśnie wrócił z rejsu po Morzu Karaibskim z ogromnym spokojem w duszy.

Powiedział, że zatrzymanie tego uczucia jest prawdziwym wyzwaniem, ale postanowił spróbować. Słucha więc karaibskiej muzyki, która przypomina mu o odprężeniu i relaksie, jakich zaznał w trakcie podróży.

Połączenie świata materialnego z duchowym jest jednym z wyzwań, jakie stoją przed nami jako ludźmi. Kiedy uświadomisz sobie, że istnieją proste sposoby przypominania sobie o swojej duchowości, przekonasz się, że pomogą ci one w budowaniu związku pomiędzy światem zewnętrznym a twoim bogatym życiem wewnętrznym.

60

Zachowaj spokój i staraj się wybrnąć z trudnej sytuacji

Bez względu na to, czy nasz problem dotyczy finansów, opóźnienia lotu czy współpracownika, którego po prostu nie lubimy, czasem zdarza nam się znaleźć w miejscu, gdzie wolałybyśmy nie być. Chociaż ta strategia jest cokolwiek banalna, z pewnością przypomni ci, że w każdej sytuacji możesz wybrać własną drogę postępowania. Możesz wpaść w furię i walczyć lub w stosownym momencie wycofać się ze spokojem i wybrnąć z trudnej sytuacji.

Przykładem, do którego może się odnieść wielu ludzi, jest opóźnienie lub odwołanie lotu. Jesteś zmęczona, pragniesz wrócić do domu i twoja cierpliwość prawdopodobnie jest już na wyczerpaniu. Gdy na lotnisku jest jeszcze sto pięćdziesiąt innych osób, które nie mają wpływu na czas swojego odlotu, samoloty zapewne nie są jedynymi przedmiotami, które tam latają! Większość ludzi wpada w furię i wyładowuje swoje frustracje na sprzedawcach biletów, którzy najprawdopodobniej nie mogą nic w tej sprawie zrobić. Niewielu będzie się starało wybrnąć z tej trudnej sytuacji.

Aby zilustrować, co może się stać, gdy jesteś jedną z tych

osób, które zachowują spokój, opowiem, co kiedyś sama przeżyłam. Ponieważ byłam jedyną osobą, która zachowała zimną krew, gdy odwołano start samolotu, zostałam przeniesiona z klasy turystycznej do pierwszej! Doszłam do wniosku, że moje niezadowolenie z sytuacji wzmocni jedynie złe emocje innych ludzi, a wymęczony personel lotniska nie zrobi z pewnością nic, by wcześniej zabrać mnie do domu. Pomyślałam więc, że skoro w domu mam dwójkę małych dzieci i niewiele okazji, by poczytać, wykorzystam ten czas, aby dokończyć książkę. Urzędniczka dostrzegła moją cierpliwość i gdy później stałam w kolejce, by wejść na pokład, nagrodziła mnie biletem pierwszej klasy.

Zdarza się, że musisz pracować z osobą, z którą popadłaś w osobisty konflikt. Możesz urządzić piekło sobie i swoim kolegom albo odłożyć na bok nieporozumienia i zamienić barierę komunikacyjną, jaka was dzieli, na duchową lekcję. Filozof Gurdżijew wykazuje, że ci ludzie, którzy nas najbardziej irytują i których obecność jest dla nas największym wyzwaniem, stają się naszymi najlepszymi nauczycielami duchowymi. Dzieje się tak dlatego, że możesz wówczas spojrzeć na to, co drażni cię w innym człowieku, i uczynić z tego okazję do wnikliwszej obserwacji swojego wnętrza, a zarazem do większego współczucia i zrozumienia.

Gdy następnym razem znajdziesz się w kłopotliwej sytuacji (a zdarzy się to prawdopodobnie już dzisiaj lub jutro), mam nadzieję, że nie zapomnisz, iż zawsze masz wybór. Możesz zachować spokój, a wtedy wszyscy z tego skorzystają. Możesz również być pewna, że robisz wszystko, by zapewnić spokój sobie i innym. Jeśli tak, to znaczy, że naprawdę nie zadręczasz się drobiazgami!

61

Wznieś się ponad swoją rutynę

W poniedziałek pieczenie chleba, we wtorek zakupy, w środę pranie... i tak dalej. Wiele osób uważa, że rutyna daje poczucie bezpieczeństwa i kontroli nad własnym życiem. Jednak istnieje niebezpieczeństwo, że nieoczekiwanie i nieświadomie wpadniemy w emocjonalną koleinę, co sprawi, iż odczujemy pustkę i brak inspiracji. Jeśli to czujesz, zastanów się nad poszerzeniem swoich horyzontów i dokonaj jakiejś zmiany w swoim rozkładzie zajęć. Świeże spojrzenie pomoże ci wznieść się ponad rutynę i uczucia z nią związane.

Pierwszy krok to spędzenie odrobiny czasu na refleksji, zadumie i marzeniach. Zwróć uwagę na to, co teraz pojawia się w twojej głowie; może to coś, za czym od dawna tęsknisz, lecz ciągle odkładasz na później. To podstawowy, wręcz dziecinny krok, by nauczyć się żyć, czerpiąc ze źródła inspiracji, i nie dać się złapać w sidła rutyny.

Niektórzy ludzie bywają cokolwiek sztywni i skostniali. Nigdy nie zbaczają z wytyczonej drogi codziennej rutyny, co sprawia, że czują się bezpiecznie. Tym ludziom brakuje z pewnością świeżej inspiracji, z każdym rokiem wyglądają na coraz starszych i bardziej zmęczonych, i nigdy nie cieszą się życiem. Zapewne istnieją takie dziedziny życia, jak szkoła, zajęcia sportowe, praca, które są częścią naszej rutyny i których właściwie nie da się zmienić. Możesz jednak znaleźć okruszek czasu, który będzie należał tylko do ciebie.

Zastanów się nad nauką nowego języka; miej odwagę marzyć o zwiedzaniu swojego kraju i poznawaniu ludzi, którzy w nim mieszkają. Zapisz się na zajęcia artystyczne. Wstąp do klubu książki, a jeszcze lepiej – zacznij pisać. Przyłącz się do jakiegoś Kościoła, świątyni albo innego ośrodka duchowego. Uprawiaj jogę. Zmień porządek swoich ćwiczeń. Uwierz, że istnieją setki różnych możliwości.

Przynajmniej raz na jakiś czas zaplanuj coś spontanicznie. To naprawdę czyni cuda. Wiem, że staje się to dużo trudniejsze, jeśli masz rodzinę i rozkład zajęć, którego musisz się trzymać, lecz zdobądź się na odwagę i znajdź czas, by zrobić coś zupełnie innego. Może to być coś bardzo nieskomplikowanego. Zamiast na przykład odrabiać z dziećmi lekcje o zwykłej porze, wybierz się z nimi na rodzinny spacer. Albo zadzwoń w niedzielę rano do sąsiadów i zaproś ich na wieczornego grilla. Podaruj sobie radość zrobienia czegoś nie zaplanowanego i innego niż zazwyczaj. To może cię poruszyć i zainspirować do nowego spojrzenia na życie.

Innym sposobem wprowadzenia prostych zmian do twojej codziennej rutyny jest zmiana trasy, którą normalnie pokonujesz. Zamiast trzymać się autostrady w drodze do pracy i z powrotem, możesz wybrać bardziej malownicze boczne drogi. Prowadzenie samochodu jest wielką przyjemnością, jeśli nie jeździ się zawsze tą samą trasą. Gdy już ją zmienisz, pomyśl, że to może okazać się bezpieczniejsze dla ciebie i twojej rodziny, ponieważ będziesz wówczas bardziej uważna i czujna. Jeżdżenie bez przerwy tą samą trasą pozbawia nas tej czujności i sprawia, że zaczynamy śnić na jawie.

To zadziwiające, jak jedna niewielka zmiana, która wydaje się zupełnie bez znaczenia, może cię podnieść na duchu i zainspirować. Gdy wyślesz swej podświadomości informację, że jesteś otwarta na nowe możliwości, to uczucie to przeniesie się również na inne sfery twego życia. Uczyni je trochę mniej jednostajnym i znacznie bardziej oryginalnym.

62

Bądź wdzięczna za drobiazgi

Często wydaje się, że stałyśmy się bardziej odporne i o wiele mniej wdzięczne za drobiazgi, których pełne jest nasze życie. Pozwalamy, by uczucie przytłoczenia oraz nasza tęsknota za sukcesem i satysfakcją materialną przesłaniały te bezcenne klejnoty życia, które są wszędzie dookoła nas. W poszukiwaniu bardziej kuszących i ekscytujących wielkich „szczytów" zapomniałyśmy o tym, że życie, a w zasadzie jego większa część, składa się właśnie z drobiazgów.

Docenianie tych drobnych momentów i zdarzeń odgrywa zasadniczą rolę w tworzeniu spokojnego i szczęśliwego życia. Chociaż mogą to być naprawdę niewielkie rzeczy, brak wdzięczności za nie ma czasem ogromne następstwa! Odmowa uznania, a w rezultacie niedocenianie drobiazgów, oznacza, że życie nie jest w stanie cię poruszyć. Zamiast dostrzegać i doświadczać doskonałości Bożego planu, najczęściej ignorujesz i lekceważysz ten plan. Bagatelizujesz cud i potęgę życia, nie odczuwasz wdzięczności za nie, nie doceniasz ich wartości i prawdopodobnie przez większość czasu zadręczasz się drobiazgami. Dzieje się tak z prostej przyczyny. Zamiast koncentrować uwagę na tym, co słuszne, piękne, wyjątkowe i tajemnicze, skupiasz się na tym, co złe, co cię irytuje i czego nie masz. Takie podejście sprawia, że stale jesteś „na krawędzi" i wypatrujesz problemów.

Niestety, ten typ koncentracji uwagi sam się napędza i staje się sposobem postrzegania i doświadczania świata. Zbyt zajęta rozważaniem protekcjonalnej uwagi, którą przypadkowo usłyszałaś podczas lunchu, albo zamartwianiem się, że twoja bluzka nie wygląda najlepiej, nie dostrzeżesz przyjaznego uśmiechu urzędnika lub pięknego obrazu na ścianie.

Jeśli większość uwagi koncentrujesz na tym, co w twoim życiu właściwe, cenne i wyjątkowe, nagroda jest naprawdę ogromna. Będziesz ciągle na nowo odczuwać, że życie jest magiczne i że trzeba je cenić jak skarb. Zamiast narzekać z powodu śmieci na poboczu drogi, spójrz na drzewa i zachwyć się ich kolorem. Ten typ koncentracji również sam się napędza i wkrótce będziesz zauważać coraz więcej rzeczy, za które powinnaś być wdzięczna. Twoje przyzwyczajenie stanie się samospełniającym się proroctwem.

Gdy porozmawiasz z kimś bardzo chorym lub bliskim śmierci, usłyszysz, że rzeczy, które zazwyczaj uważasz za „wielkie", są właściwie bez znaczenia, a najważniejsze są te, do których nie przywiązujesz wagi. Na przykład pieniądze, fizyczne piękno, powodzenie, zdobycze materialne mogą wydawać się szczytem marzeń, czymś niezmiernie istotnym, a czasem nawet sprawą życia i śmierci. Jeśli kiedyś spojrzysz na swoje życie, okaże się prawdopodobnie, że te rzeczy stracą swój blask. Wydadzą się mniej ważne, a może nawet powierzchowne. Z drugiej strony – piękno natury, dotknięcie nowo narodzonego dziecka, cudowny uśmiech czy też przyjaźń będą czymś bezcennym. Zastanów się: jeśli miałabyś przed sobą tylko jeden dzień życia, o czym byś pomyślała? O swoim samochodzie, ulubionych butach czy może o codziennych radościach?

Osoba, która docenia tylko wielkie rzeczy i wysokie „szczyty", przeżyje w najlepszym wypadku tylko krótkotrwałe chwile szczęścia. Natomiast ta, która odczuwa wdzięczność za drobiazgi, będzie szczęśliwa przez większość czasu, gdyż wszędzie, gdzie tylko spojrzy, znajdzie powód do wdzięczności.

Nie podaję ci przepisu na udawanie, że wszystko jest lepsze, niż jest w istocie, ani nie sugeruję, że na świecie nie ma brzydoty i bólu. Pragnęłam ci tylko udowodnić, że jeśli potrafisz z rozwagą i uczciwością przyznać, co w życiu jest najważniejsze, to drobiazgi zdobędą pierwszą nagrodę!

63

Oddaj cześć swojej matce

Nie ma nic bardziej uzdrawiającego, miłego i zachęcającego niż oddanie czci dwojgu ludziom, którzy dali ci życie – matce i ojcu. Jednak to matka była tym naczyniem, które umożliwiło twoje przyjście na świat; była również twoim pierwszym kobiecym wzorem. Ponieważ jest to książka dla kobiet, poświęćmy jej kilka chwil.

Oddanie czci matce jest sprawą symboliczną. Chodzi bowiem o to, by pomyśleć o tych ludziach, którzy – tak jak twoja matka – poświęcają się z twojego powodu po prostu dlatego, że cię kochają. Bez względu na to, jakie są twoje obecne stosunki z matką, masz przynajmniej jeden powód, żeby oddać jej cześć i okazać wdzięczność, a mianowicie to, że teraz tutaj jesteś. Bez niej nie istniałabyś, w każdym razie nie w ten sposób!

Jest kilka takich rzeczy, co do których mamy pewność, że są absolutnie i bezwzględnie prawdziwe. Jedną z nich jest to, że każdy z nas żyje na tej ziemi dzięki swojej matce. Jeśli twoja mama biologiczna nie wychowywała cię, z całą pewnością powinnaś oddać cześć tej, która się o ciebie troszczyła.

Większość ludzi nie ma „doskonałych" rodziców (o ile tacy w ogóle istnieją!). W ciągu tych wszystkich lat twoje stosunki z matką układają się raz lepiej, raz gorzej. Jestem przekonana, że nie znajdujecie porozumienia we wszystkich sprawach, lecz możliwe, że czasami to ty jesteś bardziej skłonna do ugody. Jeśli jesteś trochę podobna do mnie, twoja wdzięczność wzrosła stokrotnie, gdy sama została matką. Dopóki same nie zostaniemy matkami, nie jesteśmy w stanie tak naprawdę zrozumieć głębi tego poświęcenia.

Gdy urodziłam naszą pierwszą córkę, Jazzy, wreszcie zrozumiałam bezmiar lojalności, miłości i poświęcenia, które matka ofiarowała mnie i mojemu bratu.

Jest wiele sposobów, dzięki którym możesz oddać cześć swojej matce. Najprostszym i najskromniejszym jest telefon lub kartka z okazji Dnia Matki. Wspaniałym sposobem może być również nieoczekiwana wizyta lub telefon. Zadzwoń po prostu i powiedz: „Cześć, jak się dzisiaj miewasz? A przy okazji... kocham cię!" A poza tym nie ma cudowniejszej rzeczy niż serdeczny list wysłany spontanicznie, a nie z poczucia obowiązku. Możesz napisać na przykład tak:

Kochana Mamo,
Pragnę ci po prostu podziękować za to, że wydałaś mnie na ten świat; doceniam twoje poświęcenie. Chcę, abyś wie-

działa, iż jesteś dla mnie skarbem droższym niż złoto, i od-
daję ci cześć za to, że dałaś mi życie.

Z miłością,
Twoja córka

Czy możesz sobie wyobrazić, jak byłoby wspaniale, gdy-by każda córka, w każdym miejscu na ziemi, napisała i wy-słała taki list do swojej matki?

64

Nie bój się być sama!

Ostatnio usłyszałam, jak Marlo Thomas powiedziała w jednym z wywiadów: „Chciałabym, aby ktoś mi powiedział, że skoro jestem dziewczyną, to nie muszę wychodzić za mąż!" Jej wypowiedź zainspirowała mnie do napisania tego rozdziału.

Wiem, że już sporo lat minęło od czasu, kiedy byłam sama, i rozumiem, że osoba o sceptycznym nastawieniu, która uważa, że to teraz o wiele trudniejsze niż dawniej, albo która jest przekonana, że małżeństwo jest jedynym celem życia, może sobie teraz pomyśleć: Łatwo jej mówić. Niemniej jednak poznałam tak wiele osób, które szczerze chwalą sobie wolny stan, iż poczułam, że muszę opracować odpowiednią strategię.

Z duchowego punktu widzenia wszystkie stajemy wobec wyzwania, jakim jest bycie szczęśliwą. Zazwyczaj robimy jedną z dwóch rzeczy: jesteśmy wdzięczne i cieszymy się życiem, jakie mamy, albo tracimy siły, by uczynić je innym. A przecież największe źródło nieszczęścia dla każdej z nas – samotnej, zamężnej, rozwiedzionej czy owdowiałej – kryje się w tym samym: kiedykolwiek tylko pragniemy lub żądamy, aby coś było inne, niż jest, cierpimy emocjonalnie. Im bardziej tego pragniemy, tym bardziej cierpimy. Od tej zasady nie ma wyjątku. I na odwrót, im bardziej akceptujemy rzeczywistość (to znaczy aktualne okoliczności naszego życia) i nie zagłębiamy się w to, jak mogłoby być, tym bardziej jesteśmy zadowolone. Jak już zapewne wiesz, zadowolenie jest źródłem dalszej pomyślności.

Kobieta zamężna, która marzy o tym, żeby być sama, będzie cierpiała w ten sam sposób co kobieta samotna, która tęskni za zamążpójściem lub stałym związkiem. To właśnie przepaść między tym, gdzie jesteś a gdzie chciałabyś być, jest przyczyną twojego bólu. Jeśli ograniczysz tę przepaść, zmniejszysz również ból.

Możesz mi wierzyć lub nie, lecz proste uznanie tego faktu może zaprowadzić cię do świata wnikliwości i intuicji. Innymi słowy, świadomość tego, co faktycznie sprawia ból, może być doskonałym i ostatecznym przepisem na pozbycie się go. A co najważniejsze, rozpoznanie problemu otwiera drzwi do przeżywania, a nawet do wysławiania ogromnych korzyści z bycia samotną.

Każdy może zrobić listę oczywistych zalet stanu wolnego. Wystarczy wymienić takie, jak różne formy wolności, urozmaicenie, mniejsze kompromisy, możliwość podejmowania własnych decyzji. Ale żadna z tych zalet nie wykracza poza powierzchowną paplaninę, jeśli nie kryją się za nią odpowiednie poglądy oraz intuicja. Dlatego świadomość wewnętrznej dynamiki, która powoduje ból, jest tak ważna i niezbędna. Chodzi tutaj o dążność ku temu, by wszystko było inaczej, niż jest w rzeczywistości. Jeśli nie masz takich myśli, twoje serce i umysł są otwarte na nowe możliwości. Innymi słowy, nie tylko będziesz umiała podać listę zalet stanu wolnego, będziesz mogła z nich również korzystać, wysławiać je i obracać na swoją korzyść!

Pamela całe swoje dorosłe życie pragnęła zostać mężatką. Było to dla niej tak ważne, iż przekonała samą siebie (przy pomocy rodziców i kilku przyjaciółek), że nie zazna szczęścia, jeśli będzie sama. Odsłaniała tę swoją desperację w większości związków i tak naprawdę była po prostu żałosna. Łączyła samotność z brakiem szczęścia w taki sam sposób, jak ty łączysz dotknięcie gorącego żelazka z oparzeniem.

Jednak w pewnym momencie życia zaczęła badać świat wewnętrznego spokoju. Nauczyła się medytacji, spędzała czas na zajęciach poświęconych duchowości i stała się bardziej refleksyjna. Zaczęła również zauważać związek pomiędzy swoimi myślami a przekonaniami i osobistym szczęściem (oraz jego brakiem). Po jakimś czasie otworzyła serce na życie, które już miała. A gdy znajome smutne myśli i rozczarowanie pojawiają się w jej umyśle, zwraca na nie mniej uwagi i odsuwa je od siebie. Po raz pierwszy zaakceptowała życie takie, jakie jest.

To, co się stało z Pamelą, było prawdziwym cudem. Po raz pierwszy w życiu dostrzegła korzyści płynące ze stanu wolnego. Zaczęła robić rzeczy, których jej zamężne przyjaciółki nie są w stanie robić. Podróżowała i stała się dla innych o wiele bardziej przyjacielska. Zapisała się na interesujące kursy. Umawiała się z mężczyznami dla przyjemności, nie próbując już znaleźć męża. Wkrótce zaczęła się cieszyć darem samotności. Była szczęśliwsza, niż kiedykolwiek przypuszczała i marzyła. Nauczyła się kochać swoją samotność. To, czy kiedykolwiek zdecyduje się wyjść za mąż, czy też nie, jest zupełnie nieistotne. Jeśli tak, będzie wiedziała, jak być szczęśliwą również i w takiej sytuacji.

Stan wolny nie jest ani lepszy, ani gorszy niż małżeństwo. Jest tylko innym zbiorem okoliczności, ma swoje wady i zalety. Jak każdemu stanowi, towarzyszą mu pewne wątpliwości i wahania. Wydaje się, że wiele osób – zarówno samotnych, jak i pozostających w związkach – popełnia ten sam błąd, koncentrując się wyłącznie na wadach i zapominając o dobrych stronach swojego stanu.

Kiedyś usłyszałam, jak pewna para pyta swego doradcę duchowego, czy uważa, że oni powinni się pobrać. Wtedy jego odpowiedź bardzo mnie zdziwiła. Dzisiaj dokładnie rozumiem, co miał na myśli. Powiedział, że to nie ma żadnego znaczenia. Stan wolny prowadzi bowiem do jednego zestawu okoliczności, a małżeństwo do drugiego. Jego wypowiedź nie była sarkastyczna, nie był też rzecznikiem ani małżeństwa, ani samotności. Wskazał po prostu na realność dokonywanych wyborów.

Jestem całkowicie przekonana, że możesz nauczyć się czerpania radości z życia, jakie stało się twoim udziałem, bez względu na to, czy jesteś samotna, czy też nie. A kiedy taka postawa nie będzie sprawiała ci już problemów, znajdziesz się na najlepszej drodze do życia swoich marzeń. Samotne życie to jest powód do świętowania. Jeśli jesteś samotna, ruszaj śmiało i przyłącz się do zabawy!

65

Znajdź swoją własną drogę

Kobiety, które żyją w obecnych czasach, mają mnóstwo możliwości, a tym samym wiele do wyboru. Jednak tych opcji jest tak dużo, że mamy z nimi wielkie trudności, a często podchodzimy do nich z ogromnym trudem i wysiłkiem. To prawdziwa ironia, ponieważ nasze babki i prababki walczyły przez całe sto lat, by kobiety miały w przyszłości możliwość wyboru. I chociaż tak się właśnie stało, często tracimy orientację co do naszych ról, nie umiejąc godzić kariery z pracą dla rodziny. Dzisiejsze kobiety nie mają jasno określonych wzorców i modeli, dlatego znów musimy zostać pionierkami i odnaleźć własną drogę.

Pamiętam, jaki niepokój odczuwałam, gdy skończyłam szkołę. Nie byłam pewna, co chcę naprawdę robić, chociaż czułam, że powinnam już wiedzieć, co uczynić ze swoim życiem. Wiedziałam również, że jeśli nie wyszłabym za Richarda od razu po college'u, zostałabym w Nowym Jorku, próbując znaleźć jakąś pracę w reklamie. Zamążpójście w tak młodym wieku wprawiało mnie w zakłopotanie i gmatwało moje wcześniejsze plany co do kariery zawodowej.

Poszukując pracy w San Francisco, czułam się bardzo samotna. W końcu dałam sobie spokój. Wiedziałam, że mogłabym okazać się tak dobrą sekretarką, że utknęłabym w tym na zawsze, torując sobie drogę do kariery. Postanowiłam więc ukończyć kurs masażu i zająć się sztuką leczniczą, by droga mojej kariery stała się bardziej wyraźna, chociaż niezupełnie o to mi chodziło. Pod koniec kursu zrobiłam kilka wizytówek, wykorzystując do tego swoje niewielkie doświadczenie z zakresu projektowania graficznego, a potem dałam je kolegom z grupy. Byli pod wielkim wrażeniem i poprosili, abym zaprojektowała takie wizytówki również i dla nich. I oto proszę! Nagle znalazłam się w branży projektowania graficznego. Jeszcze dużo czasu upłynęło, zanim zaczęłam robić analizy i roczne raporty dla firm średniej wielkości oraz banków. Otworzyłam sklep, zatrudniłam dwóch projektantów i zostałam właścicielką firmy „Graphically Yours", a ostatecznie „Kris Carlson and Associates: A Marketing Design Group". I wiecie co? Byłam piekielnie dobrą sekretarką, księgową i szefem produkcji! Miałam mnóstwo na głowie, czasem popłakiwałam z powodu napiętych terminów i konfliktów z klientami, no i bawiłam się świetnie, zarabiając pieniądze i osiągając zyski.

Możliwość wyboru wiąże się również z ogromnym stresem. W końcu odnajdujemy swoją drogę kariery, potem wychodzimy za mąż, a kilka lat później rodzimy dziecko. I co robimy dalej? Nasze wybory nie są już takie oczywiste.

W obecnych czasach brakuje jakiegoś wyraźnego wzorca dla kobiet, które łączą pracę zawodową z wychowywaniem dzieci. Oznacza to, że kobiety muszą raz jeszcze zostać pionierkami. Jeśli chcesz określić swoją rolę, najlepszą strategią będzie odnalezienie własnej drogi. Musisz wziąć pod uwagę sytuację finansową oraz swój system wartości i zastanowić się, co będzie najodpowiedniejsze dla ciebie i twojej rodziny. Gdy dokonujesz wyboru, nie stawiaj się w roli ofiary. „Przeszłaś długą drogę, dziecinko". Zawsze masz prawo wyboru.

Znajdź własną drogę i nie przestawaj oceniać swoich decyzji. Gdy wszystko idzie dobrze, a twoi bliscy są zadowoleni, ciesz się drogą, którą podążasz. Jeśli coś się zmienia, rozważ raz jeszcze możliwości, które masz do wyboru, i pamiętaj, ile szczęścia one dają. Dokonywanie wyboru może być trudne i bolesne, lecz jego brak jest znacznie gorszy!

66

Pozwól, by kipiał w tobie entuzjazm

Jeśli pozwolisz, by kipiał w tobie entuzjazm i promieniował na każdą cząstkę twego istnienia, sprawisz mnóstwo radości sobie i innym. To jeden z najłatwiejszych sposobów, by służyć innym ludziom. Dzielenie się dobrymi uczuciami, które pochodzą prosto z naszego wnętrza, jest naprawdę wspaniałe i bardzo zaraźliwe.

Entuzjazm jest zasadniczym elementem sukcesu, tak w biznesie, jak i w przedsięwzięciach szkolnej rady rodziców lub przy uczeniu chodzenia małego berbecia. Nawet jeśli jesteś w kiepskim nastroju, poczujesz się dużo lepiej, gdy zmusisz się do uśmiechu, a jeszcze lepiej do śmiechu, lub przywitasz kogoś z radością.

Mam wspaniałą przyjaciółkę, która pozwala, by kipiał w niej entuzjazm. Sprzedawczynię w supermarkecie pozdrawia z taką życzliwością i dobrocią, jakby witała się z najlepszą koleżanką. Patrzy jej prosto w oczy i uśmiecha się ciepło, serdecznie. Pyta ze szczerą troską: „Jak się pani miewa?" Swoim entuzjazmem wzbogaca dzień każdej osoby, którą spotka.

Niektórzy ludzie wyrażają swój entuzjazm spokojnie, a inni bardziej demonstracyjnie. Niektórzy mogą uważać, że zbyt duża dawka entuzjazmu jest przytłaczająca, chociaż przyznają, że towarzystwo ludzi cieszących się życiem i szczerze zainteresowanych opiniami innych jest niezmiernie inspirujące.

Ostatnio jedna z moich znajomych powiedziała, że chce otworzyć firmę. Nie jestem szczególnie zainteresowana produktem, jaki zamierza rozprowadzać, ale podzielam jej entuzjazm dla nowego przedsięwzięcia. Mogłam powiedzieć przecież, że to się nigdy nie uda, że to o wiele bardziej skomplikowane i tak dalej. Lecz zamiast omawiać negatywne strony jej pomysłu, przedstawiłam kilka sugestii, które dodały jej odwagi i otuchy na drodze, którą obrała. Po prostu odpowiedziałam entuzjazmem na jej entuzjazm.

Zawsze można dwojako spojrzeć na tę samą rzecz: możesz widzieć szklankę w połowie pustą albo do połowy pełną. Ważne, abyś umiała rozpoznać swój nawyk myślenia. Entuzjazm jest uczuciem niezmiernie odżywczym i zdrowym. Jeśli zrozumiesz, że możesz wybrać, w jaki sposób postrzegać daną sytuację, zasadniczo zawsze będziesz mogła znaleźć w niej coś pozytywnego.

Jeżeli wyrażasz entuzjazm, ludzie podzielą się z tobą swymi marzeniami oraz inspiracjami, ponieważ wiedzą, że to doda im siły. To wspaniałe uczucie, gdy inni wierzą, że poprzesz ich wizję i dodasz im otuchy. To także łatwy sposób dzielenia się serdeczną radością i redukowania własnego stresu. Nie tylko ty poczujesz się lepiej; ludzie, którzy cię otaczają, będą również nastawieni bardziej pozytywnie.

67

Opowiadaj pogodne historie

Wydaje się, że cała współczesna kultura jest przesycona negatywnymi opowieściami z naszego życia i otaczającego nas świata. Media aż do znudzenia zamęczają nas jakąś wstrząsającą informacją, a my nurzamy się w patosie innych, równie okropnych opowieści.

Czy kiedykolwiek słyszałaś, by na przyjęciu z okazji zbliżających się narodzin dziecka ktokolwiek powiedział, jak cudownym przeżyciem jest poród? Zazwyczaj słyszymy jedynie przerażające opowieści, które snują kobiety w związku ze swoimi ciężkimi przeżyciami. Akurat tego potrzebuje matka tuż przed narodzinami swego pierwszego dziecka!

Nasze dzieci wracają ze szkoły i nie opowiadają, jaki wspaniały miały dzień. Zamiast tego słyszymy okropną historię o wypadku, jaki się zdarzył na boisku, lub opowieść o złośliwym nauczycielu. Czy nie byłoby wspaniale, gdybyśmy opowiadali sobie więcej pogodnych historii?

W ostatni weekend oglądałam z Richardem film pod tytułem *Tylko miłość*. Nie podnosił na duchu, lecz pokazano w nim jedną naprawdę wspaniałą rzecz. Otóż podczas obiadu każdy członek rodziny opowiadał o tym, co przydarzyło mu się w ciągu dnia. To cudowny pomysł, który jest bodźcem do bardzo zdrowego refleksyjnego myślenia. Staje się również przyczynkiem do krzepiącej rozmowy oraz zwykłego wyładowania uczuć.

Jeśli chcesz zrobić jedną z najwspanialszych rzeczy, jakie można uczynić dla drugiej osoby, opowiedz jakąś miłą historię o jej dziecku. Nic tak bardzo nie poprawia mojego samopoczucia, jak opowieść o dobrym uczynku, który zrobiła jedna z moich córek. Zazwyczaj słyszymy bowiem tylko o problemach, jakie nasze dzieci sprawiają innym ludziom.

Pewnego dnia zaczepiła mnie w szkole jakaś kobieta i zapytała: „Słyszała pani, co zrobiła dzisiaj Jazzy?" Cóż, nie wiem jak ty zareagowałabyś w takiej sytuacji, lecz ja pomyślałam natychmiast: Och, nie. Co ona zrobiła? – chociaż, nawiasem mówiąc, Jazzy bardzo rzadko popełnia jakieś wielkie głupstwo. Kobieta roześmiała się, widząc moją minę, a potem ze łzami w oczach opowiedziała mi, jak Jazzy złapała za rękę inne dziecko, które przyciskało do ściany jej córkę i próbowało uderzyć ją w twarz. Nigdy przedtem nie byłam tak dumna z Jazzy i opowieść o jej odwadze rozgrzała moje serce.

Sandra, jedna z moich znajomych, ma córkę, którą inni uważają czasem za sprawczynię wielkich kłopotów. Katie cierpi na czynnościową formę autyzmu i jej zachowanie jest często źle interpretowane zarówno przez dorosłych, jak i przez dzieci, które nie rozumieją tej choroby albo o niej nie wiedzą. Sandra zadręcza się, próbując wyjaśniać prawie obcym ludziom, w jakim stanie znajduje się Katie. Pewnego dnia opowiedziała mi, jak to zupełnie nieoczekiwanie zadzwoniła do niej inna matka i pochwaliła Katie za pomoc, którą dziewczynka wykazała się tego dnia w szkole. Ta rozmowa ogromnie podniosła Sandrę na duchu.

Tę strategię można zastosować również w pracy. Jeśli będziemy budować atmosferę równości i zdamy sobie sprawę z tego, że tym samym tworzymy też swój lepszy wizerunek, większość firm bardzo na tym skorzysta. Jeśli opowiesz szefowi o jakiejś wyjątkowej rzeczy, którą twój współpracownik wykonał zupełnie bezinteresownie i po godzinach pracy, będzie to coś najwspanialszego, co możesz zrobić dla swojego kolegi. Nie bój się chwalić innych. To nie tylko dobry uczynek; takie postępowanie sprawi, że wydasz się pewna siebie i tak czysta jak źródlana woda.

Tak więc, gdy następnym razem będziesz świadkiem jakiegoś wspaniałego czynu, którego dokona twoja koleżanka z pracy, albo zobaczysz, jak czyjeś dziecko (lub twoje własne) robi dobry uczynek, przekaż dalej tę pozytywną wiadomość. Opowiadanie pogodnych historii jest prawdziwym i pewnym „pożeraczem" stresów, a poza tym jeszcze bardziej zwiąże ze sobą członków twojej rodziny.

68

Mów: „Nie, ale dziękuję, że pytasz"
(i nie czuj się przy tym winna)

To bardzo ważna strategia dla tych wszystkich kobiet, które biorą na siebie zbyt wiele! Kiedy jesteś już na granicy tego, co możesz jeszcze zrobić, a jednocześnie odczuwać przy tym radość, to najwyższy czas, abyś dla swego dobrego samopoczucia nauczyła się mówić: „Nie, ale dziękuję, że pytasz". Bardzo ważne, abyś potrafiła wypowiadać te słowa bez jakiegokolwiek poczucia winy.

Jednak zanim zaczniesz stosować tę strategię, prawdopodobnie będziesz chciała się dowiedzieć i dokładnie ocenić, gdzie przebiegają twoje granice: Co możesz zrobić, co jesteś skłonna zrobić i co chcesz zrobić.

Jeśli wstąpisz do jeszcze jednego komitetu albo przyjmiesz na siebie kolejne obowiązki, na które tak naprawdę nie masz już czasu, osiągniesz w końcu swoją granicę, co objawi się zupełnie niespodziewanym wybuchem, oburzeniem i złością.

Raptem okaże się, że masz za wiele na głowie i nie bardzo wiesz, jak się z tego wycofać. Poczujesz się wyczerpana i przepracowana, a może nawet dotknięta, urażona i zgorzkniała, ponieważ za dużo wzięłaś na swoje barki. Brak umiejętności mówienia „nie" bez poczucia winy stanie się dla ciebie koszmarem.

Jeżeli należysz do jakiejś organizacji, musisz oczywiście spełniać swoje obowiązki. Wybór należy jednak do ciebie i możesz go dokonywać na podstawie tego, co dzieje się w twoim życiu, biorąc pod uwagę liczbę zobowiązań, które już masz. Musisz pozwolić sobie powiedzieć, że dość to dość.

Gdy zaczniesz przyznawać się do tego wszystkiego, co robisz, twoje poczucie winy opadnie. Świadomość, że nie przygniatają cię ciężary, do których zupełnie nie masz serca, daje olbrzymią moc. Jaśniejszy umysł i trochę mniej napięty plan zajęć pozwolą ci podejmować trafniejsze decyzje pozbawione szaleńczej desperacji.

Kiedy nauczysz się mówić „nie" bez poczucia winy, przedsięwzięcia, w których grasz główną rolę, dadzą ci z pewnością więcej radości. Nie mówiąc o tym, że przestaniesz się nadmiernie forsować, a obowiązki, które już na siebie przyjęłaś, wykonasz dużo lepiej i sprawniej.

Jeśli zdecydowałaś, że odrzucisz jakąś propozycję, nie podawaj natychmiast całej listy przyczyn, z których nie możesz z niej skorzystać (to dowód, że czujesz się winna). Czy zauważyłaś, że gdy zaczynasz się tłumaczyć i wdawać w szczegóły, tracisz zainteresowanie swojego rozmówcy. Ludzie nie są zainteresowani twoją krzątaniną, gdyż sami walczą z nadmiarem zajęć.

Niektórzy mają wielkie trudności z powiedzeniem „nie".

Tak rozpaczliwie pragną być lubiani, że z największą przyjemnością poświęcą swoje dobre samopoczucie. Jeśli jednak musisz wycofać się z czegoś w ostatniej chwili z powodu innych zobowiązań, nie będziesz bardzo lubiana. Lepiej więc nie angażować się w coś, niż potem opuścić kogoś w trudnej sytuacji!

Umiejętność mówienia „nie" jest również bardzo ważna w pracy, bez względu na to, czy jesteś właścicielką firmy, czy pracownikiem. Pamiętaj, że gdy każdego wieczoru zostajesz dłużej w pracy, skracasz czas przeznaczony dla twojego męża i/lub dzieci. I raz jeszcze dochodzimy do kwestii równowagi. Pomyśl o tym w ten sposób, że nie zgadzasz się na pracę w tych godzinach, za które nie dostajesz pieniędzy (to znaczy za późne wieczory i weekendy).

Poczucie winy może cię również kusić, abyś nadmiernie obciążała swój kalendarz towarzyski. Jednak lepiej będzie, jeśli znajdziesz się po tej samej stronie co twój mąż lub chłopak, bo inaczej twoje pełne poczucia winy „tak" spowoduje więcej frustracji, niż się spodziewałaś. Twój partner może mieć zupełnie inny program towarzyski oraz zestaw priorytetów. Może więc nie doceniać tego wszystkiego, co robisz, jeśli powoduje tobą wyłącznie poczucie winy!

Weź pod uwagę, że poświęcenia oparte na poczuciu winy mogą być nie tylko stratą twojego czasu. Kto tak naprawdę chce spędzać czas z osobą, która robi to tylko z poczucia winy i obowiązku?

Kiedy więc następnym razem ktoś cię zapyta, czy chcesz zostać przewodniczącą komitetu, zorganizować fundację, pojechać na wycieczkę, popracować na rzecz szkoły albo pójść na obiad, zastanów się nad tym przez chwilę. Rozważ uczciwie, czy naprawdę masz na to ochotę i wolny czas, a dopiero potem daj odpowiedź. Jeżeli czujesz się przeciążona albo po prostu brakuje ci czasu, powiedz zwyczajnie: „Nie, ale dziękuję, że pytasz", i niczego więcej nie tłumacz.

69

Daj sobie więcej czasu,
niż twoim zdaniem potrzebujesz

Na swój sposób to sprawa bardzo oczywista, lecz z pewnością warta powtórzenia. Nie ulega wątpliwości, że jedną z najważniejszych przyczyn naszych codziennych stresów jest wieczny pośpiech spowodowany prostym faktem, że nie dajemy sobie dość czasu. Prawda jest taka, że przedostanie się z jednego miejsca w drugie zajmuje nam zazwyczaj więcej czasu, niż przypuszczamy.

Nasze intencje z pewnością nie są złe. Jeśli zbyt długo zwlekamy z wyjściem albo nie mamy wystarczająco dużo czasu pomiędzy zajęciami, to dzieje się tak tylko dlatego, że właśnie wtedy usiłujemy coś jeszcze zrobić. „Wciskamy" na siłę jeszcze jeden telefon albo upychamy do pralki kolejną porcję prania. W rezultacie ani nie wychodzimy z domu wtedy, kiedy powinnyśmy, ani nie jesteśmy gotowe – a przynajmniej nie ze wszystkim – wystarczająco wcześnie i tak, jak byśmy chciały.

Dzieje się tak wówczas, gdy przeczymy rzeczywistości, nie biorąc pod uwagę tego, ile czasu tak naprawdę zajmie nam dojazd do punktu przeznaczenia. Narzekamy na zatłoczone drogi, brak miejsca na parkingu, nieoczekiwane opóźnienia, kłopoty z dojściem od samochodu do metra i tak dalej. Zakładamy, że wszystko pójdzie doskonale, co się oczywiście zdarza niezmiernie rzadko. Tak więc bez względu na to, czy jedziemy z jednego spotkania na drugie, odbieramy dzieci ze szkoły, czy jedziemy na lotnisko, czekamy po prostu odrobinę za długo i – co z łatwością można przewidzieć – kończymy z jeszcze jednym stresem na głowie.

Jeśli przygotujemy się odpowiednio wcześnie, a wychodząc, pozostawimy sobie w zapasie dużo więcej czasu, pozbędziemy się ogromnej ilości stresów. Zamiast spieszyć się nieustająco, zrelaksujmy się i odprężmy. Zamiast wiecznie się zamartwiać, bądźmy spokojne i opanowane. Przybywajmy na czas i nie skazujmy innych na czekanie. No i spędzajmy mniej czasu na przeprosinach i wymyślaniu usprawiedliwień. Zamiast bez przerwy zastanawiać się, co dalej, będziemy mogły być nieco bardziej przytomne. Ten zapas czasu może sprawić, że zamiast odczuwać przed czymś lęk, znajdziemy w tym radość i przyjemność. Kiedy się spieszysz, nie jesteś w stanie cieszyć się tym, co robisz, ponieważ – niemal z definicji – pragniesz być w zupełnie innym miejscu.

Przygotowanie się na czas i pozostawienie sobie pewnego zapasu czasu pomiędzy zajęciami jest bardzo ważne z jeszcze jednego względu. W delikatny sposób zachęca cię bowiem do zaplanowania mniejszej liczby zajęć, dzięki czemu jesteś mniej zmęczona i przepracowana. To środek zapobiegawczy. Ponieważ zostawiasz sobie kilka chwil pomiędzy zajęciami i dużo więcej czasu, żeby się przygotować i wyjść, twój kalendarz jest mniej przepełniony. Zamiast myśleć, że zdołasz „upchnąć" w ciągu dnia dziesięć różnych spraw, zrób zupełnie inne założenie. Uświadom sobie, że tak naprawdę dasz radę tylko ośmiu. Tak więc w pewnym sensie zyskujesz „rabat czasowy". Zamiast spędzać cały dzień na „robieniu" i „bieganiu", zostaw trochę czasu pomiędzy różnymi zajęciami. Może to być czas przeznaczony wyłącznie dla ciebie.

70

Wyjeżdżaj z dziewczynami

Nie ma chyba nic bardziej przyjemnego niż wspólny weekend z małą, dobraną grupą kobiet, spędzony w jakimś zaciszu. Weekend z dziewczynami to zawsze wspaniałe jedzenie, wyborne wino, śmiech, łzy, mnóstwo rozmów i spacerów.

Ostatnio wyjechałam z czterema przyjaciółkami. Sally, moja dobra przyjaciółka, była jedyną osobą, która nie znała pozostałych; przyjechała do nas z Seattle. Wybrałyśmy dom na wybrzeżu Pacyfiku, aby odetchnąć od dzieci, meczów piłki nożnej i tysiąca innych spraw, którymi zajmujemy się na co dzień. Gdy przyjechała Sally, przywitałyśmy ją z wesołym roztrzepaniem, które świadczyło o wspaniałych nastrojach i radości. Cieszyła nas świadomość, że mamy przed sobą kilka dni odpoczynku, relaksu i zabawy. Zaczęłyśmy rozmawiać o smakołykach, które przywiozłyśmy, o przygotowaniach do kolacji i wybornym winie, którym będziemy się raczyć, oglądając zachód słońca.

Mijał czas, a nasze rozmowy stawały się coraz bardziej głębokie i treściwe. Kobiety zawsze znajdą sposób, by odnaleźć wspólny grunt, na którym wszystkie stoimy. Potrafią również zagłębić się w temat, by poddać go szczegółowej analizie i ocenić ze wszystkich punktów widzenia. Mogłyśmy nie zgadzać się w różnych kwestiach, lecz każda z nas przedstawiała swoje pomysły, a potem słuchała w skupieniu, przekazując pałeczkę następnej osobie. Gdy jedna z nas płakała, płakałyśmy wszystkie; kiedy się śmiałyśmy, prawie siusiałyśmy w majtki! W krótkim czasie podzieliłyśmy się naszymi radościami, zmartwieniami, nadziejami i marzeniami. Czytałyśmy inspirujące książki, malowałyśmy akwarelami, oglądałyśmy wspaniałe filmy i rozmawiałyśmy do drugiej nad ranem.

Chociaż żadna z nas nie powiedziała tego głośno, zawarłyśmy między sobą umowę milczenia: wszystko, co zostało tam powiedziane, było święte i nienaruszalne. Nie znajdziesz lepszych pocieszycielek duszy niż kobiety. W ciągu tego krótkiego czasu przelałyśmy w siebie nawzajem całą naszą energię. Gdy pakowałyśmy się przed wyjazdem do domu, byłyśmy trochę smutne, że tak cudowny czas już dobiega końca, lecz wszystkie czułyśmy, że wstąpiły w nas nowe siły; byłyśmy zregenerowane i zdolne do stawienia czoła życiu i naszym rodzinom w zupełnie nowej perspektywie.

Jeżeli jesteś w stanie zorganizować taki weekendowy wypad, zrób to koniecznie! To naprawdę jest warte wszelkiego wysiłku. Jeśli to możliwe, planuj od czasu do czasu takie babskie wieczory. Korzyści z tego płynące będą bezcenne. Zorganizuj taki wieczór w jakimś miejscu, gdzie możecie przegadać całą noc! Bez względu na to, w jakiej formie się to odbędzie, raz na jakiś czas wyjeżdżaj z dziewczynami. To pomoże ci naładować akumulatory i wydobyć z siebie to, co najlepsze!

71

Nie identyfikuj się zanadto z żadną rolą

To bardzo kusząca opcja, by identyfikować siebie samą jako produkt wszystkich swoich dokonań i osiągnięć. Przed kobietami stoi wielkie wyzwanie, aby nie identyfikowały się zanadto z jakąkolwiek rolą, czy to matki, babci, kobiety interesu, czy też żony. W naszej kulturze bardzo łatwo pomylić robienie czegoś z byciem. Wayne Dyer określił to znakomicie jednym zdaniem: „Kiedy jesteś tym, co robisz, to gdy tego nie robisz, po prostu nie istniejesz". To ważne stwierdzenie, nad którym warto się zastanowić.

Od pierwszych lat życia jesteśmy uczone, by identyfikować się z jakimś konkretnym „typem", który określają nasze warunki fizyczne. Jesteś szczupła jak modelka, przeciętna, gruba albo zmysłowa. Ponieważ mam jasne włosy, zawsze byłam zdecydowana na wszystko, byle nie przypięto mi etykietki „głupiej blondynki". W szkole średniej starałam się prześcignąć każdego i dostawać same piątki, by uniknąć właśnie takiej etykiety.

W młodym wieku jesteśmy przygotowywane również do tego, by wyrobić w sobie odpowiedni sposób myślenia i w przyszłości stać się kimś lub czymś. Jeśli podczas studiów płyniesz na fali różnych osiągnięć i zaszczytów, zyskujesz miano dobrej studentki; w przeciwnym wypadku jesteś nikim. Pewnego razu, gdy byłam w klasie Jazzy, zauważyłam odręczny napis na zeszycie pewnej dziewczynki. Było tam jej nazwisko, a bezpośrednio pod nim widniała adnotacja „Cheerleader". Pomyślałam: No tak, a więc to zdarza się już w piątej klasie. Ta dziewczynka identyfikowała się z tym, co robi.

Ostatnio wpadłam przypadkowo na pewną znajomą, której nie widziałam od wielu miesięcy. Gdy zapytałam, jak się miewa, powiedziała, że cały jej czas wypełnia opieka nad dziećmi. Potem usłyszałam o wszystkich wspaniałych osiągnięciach tych dzieci. Gdy mówiła, przyjrzałam się jej dokładnie i zdumiało mnie, jak bardzo zeszczuplała. Zauważyłam również, że wygląda na wyczerpaną. Dzieci były dla niej całym światem – to nie ulegało wątpliwości. Jej poświęcenie dla rodziny było naprawdę godne podziwu, lecz jednocześnie nie przejawiała żadnego zainteresowania własną osobą. Jeśli nadal będzie żyła w taki sposób, nie wyjdzie to na dobre jej synom i córkom, ponieważ w końcu przewróci się ze zmęczenia albo nie wytrzyma i wybuchnie.

Ta strategia jest wielkim wyzwaniem dla wszystkich matek, ponieważ wychowywanie dzieci może się stać niezmiernie wyczerpujące. Na pewno łatwo ci myśleć o sobie jako o „mamie", lecz czasami zapominasz, że jesteś również „istotą ludzką". Nic więc dziwnego, że wiele kobiet cierpi na syndrom pustego gniazda, kiedy dzieci odchodzą z domu. Gdy zanadto identyfikujesz się z jakąś rolą, bez względu na to, jak jest cudowna, zapędzasz się w ślepy zaułek i przestajesz postrzegać, kim naprawdę jesteś.

Nie ma granicy, która określa, ile czasu i energii powinnaś poświęcać swojej rodzinie. Możesz nieustannie wynajdywać sposoby, by wypełniać życie sprawami rodziny, i ciągle odnosić wrażenie, że robisz za mało. Jeśli sama nie określisz tej granicy, pewnego dnia możesz przebudzić się ze snu i zdziwić, gdzie podziałaś się „ty". Nikt nie zrobi tego za ciebie. Musimy same wypracować równowagę pomiędzy zaspokajaniem swoich interesów a dbaniem o sprawy rodziny. Twoje dzieci kiedyś przecież dorosną i zaczną żyć własnym życiem, dlatego potrzebujesz odrobiny miejsca dla siebie.

Kobiety, które potrafią utrzymać w równowadze karierę zawodową i macierzyństwo, prawdopodobnie nie będą miały z tą strategią żadnych problemów. Muszą umieć pozbyć się jednego problemu z głowy i zająć się następnym, czasami dosłownie w jednej chwili. Bez względu na to, czy jesteś głównym żywicielem rodziny, czy też nie, gdy twoje dziecko ma gorączkę albo złamie rękę, najprawdopodobniej zadzwoni właśnie do ciebie. Twoja praca zawodowa może kończyć się o piątej po południu, a rola matki nigdy nie ma końca. Dla twoich dzieci nie ma znaczenia, czy jesteś sławną pisarką, aktorką, nie obchodzi ich również, jaką pozycję zajmujesz w biurze; dla nich jesteś po prostu „mamą".

Dopóki nie zrozumiesz, że nie jesteś tym, co robisz, lecz osobą, która robi wiele rzeczy, będziesz wiodła dość skomplikowane życie. Jeżeli zanadto identyfikujesz się ze swoją pracą zawodową, możesz po prostu dojść do wniosku, że nigdy nie będziesz mogła założyć rodziny ani pozostać w domu ze swoimi dziećmi (przynajmniej przez jakiś czas). Jeśli masz kilkoro dzieci, a najmłodsze ma już pięć lub sześć lat, nie decyduj o posiadaniu następnego potomka ze strachu, że nie będziesz miała co zrobić z wolnym czasem, gdy to najmłodsze pójdzie do szkoły, bo to może doprowadzić ciebie i twoją rodzinę do emocjonalnej krawędzi.

Wszystkie musimy doświadczać życia jako jednostki i jednocześnie dawać coś z siebie innym ludziom, w tym naszej rodzinie. Twoje doświadczenie życiowe będzie na pewno o wiele bogatsze i bardziej satysfakcjonujące, gdy nauczysz się robić wiele rzeczy, nie przyklejając sobie żadnej etykietki.

72

Pozbądź się eksplozji myśli

Cały dzień spędziłaś na rozmyślaniach. Właściwie spędziłaś na tym cały tydzień. Zaczekaj, całe twoje życie to jedno wielkie myślenie! Jesteś zmęczona, zmartwiona, zirytowana. Czujesz się znudzona, a głowa ci puchnie od nawału rzeczy, które musisz zrobić. Jesteś w kiepskim nastroju i wtedy przypominają ci się wszystkie osoby, które są od ciebie zależne i które na ciebie liczą. Może czujesz się nawet trochę wykorzystywana. Babcia Richarda, Emily, mawiała zawsze: „Życie jest dobre, jeśli nie opadasz z sił". I miała rację! Jest zbyt wiele rzeczy, które mogą pozbawić nas energii, jeśli tylko im na to pozwolimy.

W dzisiejszych czasach uświadomienie sobie niewiarygodnej potęgi myśli jest niezmiernie ważne. Samo poznanie tej mocy i uznanie roli, jaką odgrywa obecnie myśl, może naprawdę uratować ci życie.

Wydaje się, że umysły negatywnie ingerują w nasze życie właśnie wtedy, gdy jesteśmy szczególnie przemęczone i przepracowane. Wówczas stajemy się nieodporne i bardziej podatne na zranienie. Tracimy orientację, gonimy jak szalone, nie wiedząc, którą drogę wybrać. Dzieje się tak wtedy, gdy myśli zaczynają wirować, zazwyczaj w złym kierunku. Analizujemy nasze życie, potwierdzamy swoje frustracje i układamy w myślach najgorsze scenariusze. Staramy się usprawiedliwić wszystkie przyczyny, z powodu których życie wymknęło się nam spod kontroli. Nadajemy rzeczom – a może powinnam powiedzieć: „wymyślamy rzeczom" – niewłaściwe proporcje. To dokładnie tak, jakbyśmy miały w naszych umysłach „eksplozję myśli"!

Akt rozpoznania i uświadomienia sobie własnego myślenia jest jak przebudzenie i dostrzeżenie tego, co się dzieje w twojej głowie. To prawie jak oglądanie filmu; różnica polega na tym, że to twoje własne życie ze wszystkimi frustracjami i problemami.

Możesz zmniejszyć stresy wywoływane przez negatywne myśli, mówiąc sobie na przykład: „No tak, znowu jestem w tym samym miejscu". Możesz po prostu uznać, że takie myślenie wywołuje złe samopoczucie lub przynajmniej jest jego dodatkową przyczyną. Świadomość takiego myślenia przerwie łańcuch, spowolni proces i podaruje ci trochę inną perspektywę; szansę, abyś odzyskała właściwą orientację. To daje niezwykłą siłę, ponieważ uznanie siebie za osobę myślącą sugeruje również, że możesz coś zmienić lub przynajmniej potraktować trochę mniej poważnie.

I nie chodzi o to, aby udawać, że twoje życie jest lepsze niż w rzeczywistości albo że jesteś bardziej „zwarta", niż faktycznie się czujesz. Cała rzecz polega na potwierdzeniu, że właśnie w tym momencie sprawy są naprawdę trudne. Jednocześnie uznajesz, że jedyny fragment tego obrazu, nad którym masz kontrolę (czyli twoje własne myśli), również odgrywa swoją rolę w twojej frustracji. Kiedy zaczniesz dostrzegać, jak twoje myślenie rozjątrza, umacnia i dramatyzuje twoje życiowe problemy, odczujesz nieznaczną ulgę. Można to przyrównać do sytuacji, gdy na autostradzie przyciskasz gaz „do dechy", a potem nagle zdejmujesz nogę z pedału. Nadal będziesz jechać zbyt szybko, przynajmniej przez kilka chwil, lecz zrobisz pierwszy krok, żeby zwolnić.

Nasze myśli są niesłychanie potężnym i skutecznym narzędziem. Na szczęście często używamy ich z korzyścią dla siebie. Jednak czasami zdarza się tak, że mniej znaczy lepiej. Zachęcam cię więc, abyś spojrzała na wszystko z dystansu i „rozpoznała" swój sposób myślenia, gdy następnym razem poczujesz się przemęczona lub zdenerwowana. Prawdopodobnie będziesz mile zaskoczona tym, jak szybko poczujesz się lepiej.

73

Gdy wszystko inne zawodzi, śmiej się

Od czasu do czasu wszystkie przeżywamy jeden (jeśli nie więcej) z „takich" dni. Przyznaję, że moje problemy są minimalne w porównaniu z problemami większości ludzi, lecz pozwól, że opowiem ci o dniu, kiedy prawo Murphy'ego znajdowało zastosowanie dosłownie w każdym „drobiazgu". Wszystko, co mogło się nie udać, nie udawało się. Jeśli trafia ci się taki dzień, jedynym rozwiązaniem jest śmiech.

Budzę się pół godziny za późno i nie mam szans, by zdążyć na spotkanie z moją partnerką od porannego biegania, z którą umówiłam się na 6.30. Moja starsza córka, Jazzy, nalega, abym przed wyjściem spełniła swoją obietnicę i wplotła jej we włosy czterokolorową wstążkę. Zabieram się więc do dzieła, a dziesięć minut później Jazzy stwierdza, że wszystko jest nie tak. Wyplątuję więc wstążkę (co zajmuje mi prawie tyle samo czasu), tylko po to, by przekonać córkę, że jestem gotowa zrobić wszystko od nowa.

Moja koleżanka pojawia się w drzwiach, a ja jestem ciągle w nocnej koszuli. Wysyłam ją razem z Ty'em, naszym psem, mając nadzieję, że dogonię ją kilka mil od domu. Naprawdę liczyłam na to dzisiejsze bieganie i jestem niezadowolona, że przechodzi mi koło nosa. Koleżanka wraca w chwili, gdy kończę zawiązywać wstążkę. Ciągle jestem w nocnej koszuli. Odchodzi, a ja i tak jestem zbyt zmęczona, by biegać.

Potem wyciągam z pralki swoje rzeczy, żeby włożyć je do suszarki. Nie tylko brakuje kosza na pranie (ponieważ ktoś lubi przenosić w nim swoje rzeczy), lecz także okazuje się, że ta sama osoba (tak, to on), na tyle miła, by pomóc przy praniu, popełniła kardynalny błąd i pomieszała kolorowe rzeczy z białymi. Cała moja biała bielizna i ulubiona różowa koszulka są w kolorze błotnistej szarości. Siadam na podłodze i krzyczę!

I wtedy uświadamiam sobie, że to doskonały dzień, który można podać za przykład i opisać (mnóstwo drobiazgów wymykających się spod kontroli), i wiem, że muszę się śmiać, ponieważ piszę w końcu książkę o niezadręczaniu się drobiazgami!

I proszę bardzo. Każda z nas je ma. I właśnie podczas tych dni, gdy wszystko idzie źle, zachowaj poczucie humoru i przyjmij do wiadomości, że nikt nie jest wyjątkiem; każdy ma takie dni, kiedy wszystko, co ma się nie udać, po prostu się nie udaje.

Trzymaj się poglądu, że w większości wypadków mogłoby być jeszcze gorzej. Zawsze masz szansę na to, że gdy śmiech przyniesie ci ulgę, dostrzeżesz zabawne strony w tych wszystkich drobiazgach, które ci nie wychodzą, i będziesz na najlepszej drodze, by pozostawić je za sobą i mieć szczęśliwszy dzień.

74

Zaplanuj dzień „strumienia inspiracji"

Wszystkie żyjemy z tak szaleńczym, rozgorączkowanym i napiętym planem dnia, że zapominamy, iż same jesteśmy mistrzyniami tego planowania. Stajemy się niewolnicami naszego rozkładu zajęć. W porządku, mistrzynie, zajrzyjcie teraz do swoich kalendarzy, postawcie wielkie „X" na jakimkolwiek dniu i zaplanujcie swój „dzień strumienia inspiracji". Nie planuj wtedy żadnych innych zajęć. Będzie to czas czystej inspiracji, gdy chwila po chwili będziesz robić jedynie to, co akurat przychodzi ci do głowy.

Obudź się i wstań bez pośpiechu. Nie wyskakuj z łóżka, jakbyś musiała trzymać się jakiegoś planu. Dzisiaj nie musisz; będziesz żyła zgodnie z tym, co cię dzisiaj zainspiruje. O czym myślisz, kiedy otworzysz oczy? Jeśli twój umysł jest już czymś zaprzątnięty, weź kilka głębokich oddechów, aby go oczyścić. Zwróć uwagę, co przyjdzie ci do głowy, gdy zadasz sobie pytanie, na co masz dzisiaj ochotę. Ochota jest tutaj słowem kluczowym. To nie pora, by wyciągać notes i robić listę spraw do załatwienia, ponieważ spędzisz ten dzień, żyjąc z chwili na chwilę.

Posuwaj się małymi krokami i rób tylko to, co przychodzi ci akurat do głowy. Jeśli chcesz iść na spacer, zrób to od razu. Nie planuj, że zrobisz to później. Dzisiejszego ranka nie planuj ani jednej minuty nadchodzącego dnia, ponieważ wszystko będzie ulegać ciągłym zmianom. Patrz po prostu, co przychodzi ci do głowy, a potem nie zwlekaj ani chwili i rób to!

Pozwól sobie na jeden dzień ulgi i pobłażania. Jeśli masz ochotę zjeść na śniadanie lody z owocami albo czekoladowe ciastko, nie krępuj się. A może wpadłaś na pomysł, żeby wymalować pokój. Albo chciałabyś zostać w łóżku i spędzić cały dzień w piżamie. A może chcesz wyjść gdzieś na śniadanie razem ze swoją rodziną.

Tego dnia trzymaj się również z dala od telefonu. Żyj chwilą i nie ulegaj sile, która ciągnie cię do wypełniania różnych zobowiązań. Bądź znowu dzieckiem i baw się albo bądź dorosła i zrealizuj jakiś projekt. Spędź czas ze swoimi dziećmi; udawajcie, że pada deszcz, podczas gdy świeci słońce. Krótko mówiąc, przeżyj ten dzień jedynie dla samego dnia.

Prawdopodobnie zastanawiasz się, dlaczego powinnaś to zrobić. Z inspiracją jest tak samo jak z innymi rzeczami; aby ją zdobyć, musisz wciąż ćwiczyć. Wielu rzeczy można się nauczyć. Jeśli zrobisz sobie taki wolny dzień, zyskasz przede wszystkim poczucie całkowitej wolności. Po raz pierwszy od długiego czasu poczujesz się panią swojego losu, nawet jeśli miałoby tak być tylko przez jeden dzień!

Zanim przywykniesz do tej strategii i dopasujesz się do niej, może upłynąć trochę czasu. Wszystko zależy od twojego charakteru, lecz jestem przekonana, że to polubisz. Nadal będziesz chodzić w poniedziałki do pracy, odwozić dzieci do szkoły i przez następne sześć dni życie popłynie zwyczajnym torem. Różnica polega na tym, że będziesz czerpać natchnienie ze swojej pracy i że będziesz mieć więcej cierpliwości dla własnych dzieci. Spojrzysz na wszystko z naprawdę dobrej perspektywy i nie będziesz sfrustrowana z tego powodu, że koncentrujesz się w życiu na wszystkim z wyjątkiem siebie.

Mam nadzieję, że – tak samo jak ja – znajdziesz w tej strategii radość i spełnienie. I że będziesz w stanie znaleźć swoje małe sposoby, które uprzyjemnią ci codzienne życie. Zanurzenie się w strumieniu inspiracji jest podstawą w przeżywaniu chwili i z pewnością czyni życie bardziej interesującym i pełnym przygód. Nawet jeśli miałoby to trwać tylko przez jeden dzień!

75

Zwracaj się do osoby, z którą zadarłaś

Można założyć się o wszystko, że w tej dziedzinie kobiety nie bardzo sobie radzą i kosztuje je to wiele wysiłku. Odbywa się to mniej więcej tak. Bierzemy się za bary z członkiem naszej rodziny, sąsiadem, przyjaciółką lub jakąkolwiek inną osobą. Całkowicie angażujemy się w jakiś „drobiazg", który nas irytuje, a potem myślimy w kółko o jednej i tej samej sprawie. W końcu rozmawiamy o tym z każdym oprócz jednej osoby, z którą zadarłyśmy i która może coś w tej sprawie zrobić.

Pewnego dnia zadzwoniła do mnie Sandy, jedna z moich przyjaciółek. Po kilku słowach powitania przeszła od razu do sprawy, która, jak się zorientowałam, leżała jej na wątrobie. Wyjaśniła mi szczegółowo, że chodzi o kłopot z sąsiadką, która nie wywiązuje się ze swoich dyżurów samochodowych. Zdarza się to każdego tygodnia i Sandy jest niezmiernie sfrustrowana tym, że zupełnie nie może na nią liczyć. Zapytałam, dlaczego po prostu nie zrezygnuje z tych dyżurów i nie wytłumaczy sąsiadce tego, co czuje. „Ach, to naprawdę nic wielkiego" – odpowiedziała. „To w końcu moja sąsiadka, a ja jestem nowa w tej społeczności". Uderzyło mnie to, że ta sytuacja najwyraźniej denerwuje ją już od dłuższego czasu i że dla niej to naprawdę j e s t wielka sprawa. Z jej odpowiedzi wywnioskowałam jednak, że jest gotowa dalej cierpieć i znosić niesłowność sąsiadki. Nie zaryzykuje natomiast żadnego działania z obawy przed utratą sympatii ze strony sąsiadki.

Na tym właśnie polega problem tych wszystkich kobiet, które są „grzecznymi dziewczynkami". Unikamy jakiejkolwiek konfrontacji ze strachu, że nie będziemy lubiane. Wolimy raczej znosić codzienne frustracje i kipieć z oburzenia, niż zdjąć swoją maskę przed osobą, która nas zdenerwowała.

Radzenie sobie z frustracją w sposób bezpośredni jest problemem dwuwarstwowym. Po pierwsze, sprawa nieczęsto znajduje rozwiązanie, ponieważ osoba, której ona dotyczy, nie ma pojęcia, że robi coś złego. Może rzeczywiście jest winna, lecz nie możesz bez końca obciążać jej odpowiedzialnością, jeśli nie wie nawet, że jesteś na nią zła. Nie dajesz jej szansy, by mogła naprawić swój błąd.

Na dodatek wyładowywanie swojego oburzenia na innych ludziach zamiast na osobie, z którą zadarłaś, powoduje, że sprawa ciągnie się w nieskończoność jak powolna śmierć. Gdy rozmawiasz o niej z innymi, bez przerwy otwierasz nie zagojoną ranę i przypominasz sobie o własnej frustracji, wręcz umacniasz ją i rozbudowujesz. W istocie nie robisz więc nic konstruktywnego, by rozwiązać problem. Zadręczasz się takim drobiazgiem, ponieważ nie kierujesz swojego działania w słusznej sprawie ku właściwej osobie.

W jaki sposób zebrać się na odwagę i w konstruktywny, nie defensywny sposób przedstawić, co mamy na myśli?

Postrzegam to tak. Jeżeli naprawdę chcesz, by ktoś cię lubił, tak jak Sandy chce być lubiana przez swoją sąsiadkę, to integralną częścią tego równania jest szacunek. Sandy nie zyska wielkiego szacunku u swojej sąsiadki, jeśli nadal będzie gryźć się w język i upokarzać. A zmniejszy się on jeszcze bardziej, gdy sąsiadka usłyszy plotki, które Sandy opowiada za jej plecami!

Oto lepsze rozwiązanie. Następnym razem, gdy sąsiadka wymówi się od wypełnienia swojego zobowiązania, Sandy powinna powiedzieć spokojnym tonem, że umowa, którą zawarły, jest już niestety nieaktualna. Potem może wyjaśnić (również ze spokojem), że z jej punktu widzenia dyżury samochodowe muszą być obustronne, tak jak zakłada umowa. Może również dodać, że doskonale rozumie, że od czasu do czasu coś wypada, lecz w tej sytuacji musi znaleźć kogoś, kto jest bardziej osiągalny i nie będzie mieć problemów, aby się zrewanżować. Sandy nie powinna być przy tym rozgorączkowana, zła lub zdenerwowana, gdyż w rzeczywistości obróci się to przeciwko niej. Powinna być wyłącznie konkretna i komunikatywna.

Sandy mogłaby się zorientować, czy sąsiadka źle zrozumiała jej oczekiwania, czy też po prostu ją wykorzystywała. Tak czy inaczej, problem zostanie rozwiązany, a ona nie będzie ciągle tkwić w martwym punkcie, w tej samej beznadziejnej pozycji.

Co warto rozważyć w związku z dużo poważniejszymi starciami, które mogą ci się przytrafić (z mężem lub innymi członkami rodziny)? Otóż takie konflikty prowadzą zazwyczaj do lepszego zrozumienia sytuacji, z jaką się borykasz.

Sprawdza się to zwłaszcza wówczas, gdy ludzie pogrążeni w jakimś konflikcie, potrafią szczerze porozmawiać o swoich uczuciach. A nawet jeśli tak nie jest, także możesz lepiej zrozumieć całą sytuację.

To, jak bardzo starasz się unikać wszelkich konfliktów, nie ma żadnego znaczenia. One są po prostu częścią naszego życia. Nawet jeśli nie jesteś konfliktowa z natury, na pewno nie będziesz miała tyle szczęścia, żeby całkowicie ich uniknąć.

Pomyśl więc o swoich zatargach, zwłaszcza o tych logicznie uzasadnionych (nie myl ich z tymi, które wynikają z kiepskiego nastroju), jako o szansie lepszego porozumienia z osobą, na której ci zależy. Skarga nie jest negatywną rzeczą, lecz konieczną i pełną szacunku formą wyjaśnienia problemu. Jeśli zwracasz się do osoby, z którą zadarłaś, otwierasz drzwi do dwustronnej rozmowy, która pomoże wam we wzajemnym zrozumieniu. Okazujesz ludziom wielki szacunek, dając im szansę, by mogli wysłuchać tego, co masz do powiedzenia, a potem udzielić ci odpowiedzi.

Jeśli wcześniej będziesz wiedziała, co chcesz powiedzieć, i zwrócisz się do osoby, z którą popadłaś w konflikt, poczujesz się z pewnością mniej dotknięta i urażona, a twoje relacje z tą osobą staną się bardziej klarowne. Każdy medal ma dwie strony, więc istnieje prawdopodobieństwo, że to jest zwykłe nieporozumienie, które można wyjaśnić. Osoba ta może podać ci wiarygodne usprawiedliwienie lub mieć na ten temat inne zdanie. Każda opcja przyniesie jakieś rozwiązanie i da ci temat do przemyśleń. Jeżeli ktoś nie lubi ciebie za to, że szczerze opisałaś swoje uczucia, cóż... *C'est la vie!* Życie toczy się dalej.

76

Dodaj pikanterii swojej seksualności

Drogie panie, porozmawiajmy teraz o namiętności. Kiedy ostatnio ją odczuwałaś? Jeśli musisz się nad tym zastanowić, to znaczy, że już najwyższy czas, abyś dodała pikanterii swojej seksualności.

Richard i ja często wysłuchujemy skarg od par nieszczęśliwych w małżeństwie, które zgodnie twierdzą, że generalnie wszystko jest wspaniałe z wyjątkiem ich życia seksualnego, które przeszło kilka załamań lub całkowicie ustało. Zdarza się, że po narodzinach dzieci ta strona życia przestaje istnieć. Jeden z partnerów, przeważnie – choć nie zawsze – mężczyzna, powie: „Zanim się pobraliśmy i w pierwszych latach małżeństwa, nasz seks był cudowny. A potem nastąpił gwałtowny krach!"

Co się dzieje z popędem seksualnym kobiet, a czasami również i mężczyzn, gdy na świecie pojawiają się dzieci lub po kilku latach małżeństwa? Musisz zebrać się na odwagę i postawić sobie to pytanie oraz przedyskutować problem z partnerem, ponieważ może to zaważyć na trwałości waszego związku. Często jest to kwestia właściwej komunikacji między małżonkami. Jeden z partnerów może odczuwać większy popęd seksualny niż drugi. Co więcej, może to być kwestia jakichś nie rozwiązanych problemów, które nie mają nic wspólnego z seksem, a wywołują różne urazy i złość. Jeśli tak jest, powinnaś rozważyć możliwość zwrócenia się o poradę. Gdy zrzucisz ciężar z serca, a partner cię zrozumie, możesz mu się wydać dużo bardziej atrakcyjna (i vice versa).

Seks nie jest zapewne jedynym i centralnym punktem małżeństwa ani też podstawowym sposobem wyrażania prawdziwej bliskości; jest za to bezcenną formą pielęgnowania trwałego związku pomiędzy dwojgiem zdrowych ludzi. Wiem, że to bardzo osobisty temat i że istnieje wiele prawdopodobnych powodów braku pociągu seksualnego, w tym zaburzenia hormonalne. (Możesz zasięgnąć w tej sprawie opinii swojego ginekologa.) Jednak zlikwidowanie problemu psychicznego jest warte najwyższego wysiłku, bo od tego zależy zdrowy związek seksualny z ukochaną osobą.

W dniu mojego ślubu pewien pięćdziesięcioletni mężczyzna, który był starym przyjacielem rodziny, obdarzył mnie taką radą: „Masz dobrego mężczyznę, Kris. Spraw, aby był szczęśliwy w domu, a nie będzie się włóczyć!" Muszę przyznać, że początkowo czułam się dotknięta i pomyślałam: O tak, to niech on sprawi, żebym ja również była szczęśliwa! Z czasem przekonałam się, że ten mężczyzna powiedział mi niezwykle istotną rzecz (zarówno dla mężczyzn, jak i dla kobiet). Ludzie są istotami seksualnymi; potrzebujemy przytulania, całowania i dotykania. Nie możesz całkowicie odseparować mężczyzny od seksu i oczekiwać, że nie zapragnie kogoś innego; to samo dotyczy również odwrotnej sytuacji.

Kiedyś słyszałam, jak pewien lekarz oświadczył w radiu, że „pary są po prostu zbyt zmęczone, by seks nadal był priorytetem". Czasami wychowywanie dzieci, prowadzenie domu i starania, by związać koniec z końcem, pochłaniają całą naszą energię. Jeśli brakuje ci snu (gdy masz małe dzieci), to z pewnością nie pomaga to intymnej stronie życia. W długotrwałych związkach również zdarzają się chwile, gdy kontakty seksualne słabną lub zanikają. Wierz mi albo nie, lecz to zupełnie normalne. Nie możesz jednak pozwolić, by te „odpływy" trwały zbyt długo.

W naszym piętnastoletnim małżeństwie Richard i ja przeżyliśmy kilka okresów stagnacji seksualnej. Pamiętam taką fazę naszego związku, gdy dzieci były małe, a my zaczęliśmy żartować na temat braku seksu. Wiem, że Richard nie chciał mnie naciskać ani czuć się odrzucony, gdy ja byłam za bardzo zmęczona. Przez jakiś czas po prostu dał sobie z tym spokój.

Pewnego dnia obudziłam się nagle i zaczęłam się zastanawiać, co się stało z tą odważną kobietą, którą kiedyś byłam. Wtedy przyszła mi na myśl rada, którą usłyszałam na swoim ślubie. Wiedziałam, że muszę dodać pikanterii mojej seksualności i przypomnieć sobie, jaka byłam we wczesnych latach naszego związku.

Tobie może pomóc zupełnie coś innego, lecz ja postawiłam na spontaniczność. Doszłam do wniosku, że właśnie ona doda pikanterii mojej seksualności. Uwielbiam inicjować „niespodziewane ataki" w chwilach, gdy Richard się tego najmniej spodziewa. A on uwielbia być zaskakiwany. Większość mężczyzn doceni, jeśli przejmiesz choć połowę inicjatywy. Jeśli po domu biegają dzieci, spontaniczność staje się prawie niemożliwa, więc musisz wykazać się wielką kreatywnością. A zamki w drzwiach są wprost koniecznością! Jeśli musisz planować, wspomnij rano o swoim pomyśle i wykorzystaj czas oczekiwania, aby się trochę z nim podrażnić. Będziesz zdziwiona, jak to oczekiwanie będzie się w was rozwijało i rosło!

A oto kilka niezbyt oryginalnych, lecz inspirujących pomysłów, by dodać pikanterii waszemu związkowi. Wejdź do jego gabinetu i zamknij drzwi na klucz. Czy muszę mówić coś jeszcze? Zapal świece w sypialni i czekaj na niego w łóżku. Kup nową bieliznę. Następnym razem, gdy będziesz planować „wieczorną randkę", zamiast kina lub obiadu w restauracji wynajmij pokój w hotelu. Nie martw się, nie będzie miał nic przeciwko temu, że wydałaś pieniądze! Zastanów się, gdzie się podziała twoja namiętność, i rozbudź na nowo to, co zawsze go w tobie tak pociągało. Oddal tę poważną, przemęczoną, przeciążoną obowiązkami i odpowiedzialnością stronę swojej osobowości i bądź promienna. Powaga i ponuractwo nigdy nie są sexy. A więc śmiało i baw się dobrze!

Jeśli twoje życie seksualne jest udane, lecz szukasz głębszej intymności duchowej, zastanów się nad zajęciami jogi lub wspólnym czytaniem książek. A potem... Praktyka czyni mistrza.

W rzeczywistości jest tak, że większość szczęśliwych par ma udany seks! Nie ulega wątpliwości, że jest on konieczny dla przetrwania długoletniego związku. A więc tylko od ciebie zależy, czy podejmiesz wyzwanie i dodasz pikanterii swojej seksualności. Dzięki temu pozostaniesz młoda i oboje będziecie szczęśliwi w swym domu!

77

W dziewięćdziesięciu dziewięciu procentach bądź wolna od plotek

Zastanawiałam się, czy nie zatytułować tego rozdziału „Koniec z plotkowaniem dla sportu", lecz nie lubię być rzecznikiem „tego, co mówię, a nie robię". Zdałam sobie sprawę, że kopię pod sobą dołek, z którego nie będę mogła się wydostać, gdyż prawie każdy – i ja nie jestem tu wyjątkiem – plotkuje w takiej czy innej formie. Próbuję ograniczać, jak tylko mogę, to, co mówię jednym ludziom o drugich, i zdaję sobie sprawę, że najprawdopodobniej osiągnę sukces dopiero wtedy (i ty również), gdy będę w dziewięćdziesięciu dziewięciu procentach wolna od plotek.

Analiza ludzkiego zachowania jest zbyt interesująca, abyśmy zatrzymywały różne obserwacje i pogłoski wyłącznie dla siebie! Czy nie sądzisz, zachowując wobec siebie absolutną szczerość, że opowiadanie o barwnych i skomplikowanych losach drugiego człowieka daje ci poczucie bezpieczeństwa i sprawia ulgę? Gdy mówimy o czymś takim, jesteśmy wdzięczne, że zdarzyło się to innej osobie, a nie nam. Wydaje się również, że jesteśmy bardziej skłonne plotkować o ludziach, których nie lubimy albo którym z jakichś powodów zazdrościmy (do czego prawdopodobnie nie mamy najmniejszej ochoty się przyznać).

Potrzeba plotkowania może wynikać ze znudzenia tym, co się dzieje – albo nie dzieje – w naszym życiu. Przekazując „najświeższe wieści", próbujemy również wydać się bardziej interesujące.

Miałam w college'u pewną koleżankę, która zrobiła na mnie piorunujące wrażenie. Spędzałyśmy wiele czasu, rozmawiając o różnych sprawach, zacząwszy od chłopaków, a skończywszy na duchowej sferze życia. Kiedyś rozmawiałyśmy o pewnej konkretnej osobie i zaczęłam dzielić się z nią swoimi obserwacjami. Wówczas powstrzymała mnie, zatkała uszy dłońmi i oświadczyła: „Nie chcę mówić ani słyszeć o jakiejkolwiek osobie niczego złego lub potencjalnie nieprawdziwego!" To mną wstrząsnęło i, prawdę mówiąc, od czasu do czasu celowo sprawdzałam jej konsekwencję. I co się okazało? Trzymała się swojej reguły w stu procentach! Mogłam ją tylko podziwiać. Była dla mnie wspaniałym przykładem i wiedziałam, że mogę jej powierzyć każdy sekret.

Jeśli nie chcesz zostać uznana za plotkarę, która przekaże innym wszystko, co wie, spróbuj zrobić tak jak ja i ogranicz plotkowanie do jednej przyjaciółki. I nawet wtedy nie rób tego zbyt często. W dziewięćdziesięciu dziewięciu procentach bądź wolna od plotek i nigdy nie plotkuj o przyjaciółce, z którą plotkujesz!

78

Miej zastępstwo do opieki nad dziećmi

Jeśli jednoczesne zajmowanie się karierą i dziećmi nie jest wystarczająco stresujące, to znalezienie odpowiedniej opiekunki do dziecka jest na tyle trudne, byś zmieniła zdanie co do dalszej pracy zawodowej. Kobiety, które muszą pozostawiać dzieci pod opieką innej osoby, przeżywają jeden z największych stresów, jakie można sobie wyobrazić. Chodzi przecież o znalezienie kogoś, komu mogłyby powierzyć najważniejszą część swego życia, czyli własne dzieci. Gdy w końcu znajdziesz kogoś, komu zaufasz, przeżywasz chwilę wielkiej ulgi. Ale nawet najlepsza opiekunka do dzieci musi mieć czasem wolny dzień; może przecież zachorować albo mieć jakieś spotkanie.

Typowy scenariusz wygląda mniej więcej tak: Planujesz, że zawieziesz dzieci do opiekunki, a potem pognasz do pracy. O 9.15 masz zebranie, o 11.00 spotkanie, a potem lunch z klientem. O 8.00 dzwoni twoja opiekunka i mówi, że ma grypę. Albo twoje dziecko, korzystające ze świetlicy, w nocy zachorowało i nie może pójść tam chore. Ktoś musi więc zostać z nim w domu. A kim jest ta osoba, która zostaje w domu z twoim dzieckiem i przekłada wszystkie swoje zawodowe spotkania? W większości wypadków (jeśli nie zawsze) jest to pani domu; przede wszystkim jest przecież „mamą".

Niektóre sprytne kobiety, które znam osobiście, doszły do wniosku, że muszą mieć plan awaryjny, czyli kogoś, kto może zastąpić opiekunkę. Ty również zastanów się nad tą strategią. Jeśli twoja opiekunka nie może z jakichś powodów zająć się dzieckiem, masz jeszcze jedną osobę, na której możesz polegać. Dobrze, jeśli to ktoś z rodziny, lecz w dzisiejszych czasach, gdy rodziny są rozproszone po całym kraju, jest to prawie nierealne. Znalezienie kogoś, kto jest osiągalny dosłownie w ostatniej chwili, może być niezwykle trudne, lecz biorąc pod uwagę, że zdarza się tak tylko kilka razy do roku (miejmy nadzieję), nie powinno być niemożliwe. Tak więc od czasu do czasu musisz kontaktować się z tą osobą, nawet jeżeli zbyt często nie korzystasz z jej usług. Zadzwoń do niej, aby się przywitać i przypomnieć, że w nagłym wypadku nadal na nią liczysz. W ten sposób, w razie konieczności, nie będziesz dzwonić do niej zupełnie znienacka.

Innym rozwiązaniem jest podzielenie się dyżurami z mężem: raz on zwalnia się z pracy i zostaje w domu, a drugi raz ty. Za każdym razem gdy opiekunka do dziecka nie jest osiągalna, ty nie jesteś jedyną osobą, która musi wywracać swój dzień do góry nogami. Możesz załatwić to również w ten sposób, że bierzesz większość dyżurów, a mąż przejmuje obowiązki, gdy ty masz jakieś ważne spotkanie z klientem.

Bardziej kosztownym rozwiązaniem – lecz niezawodnym, jeśli naprawdę jesteś w sytuacji bez wyjścia – jest skorzystanie z usług agencji opiekunek; agencji wcześniej sprawdzonej. To trochę kosztuje, lecz jeżeli nie możesz zwolnić się z pracy, jest to jakieś rozwiązanie. A może masz dobrą przyjaciółkę, która nie pracuje poza domem i pomoże ci w razie potrzeby. (W takim wypadku powinnaś odwzajemnić się jej w czasie weekendów lub wieczorami.) W każdym razie lepiej zająć się tym wcześniej. Możesz posunąć się nawet o jeden krok dalej i mieć zastępstwo do zastępstwa!

Tak czy inaczej zrób wszystko, abyś nie została w zawieszeniu, gdy zachoruje twoje dziecko lub opiekunka. Jeżeli musisz pójść do pracy, nie powinnaś zadręczać się tym, kto zaopiekuje się twoim dzieckiem. W końcu to twój najważniejszy priorytet.

79

Nie waż się codziennie

Najbardziej zrównoważone kobiety ważą się rzadko, dopóki ich wygląd odpowiada wyobrażeniom, gdyż nie chcą zanadto koncentrować się na swojej wadze. Z drugiej strony są również kobiety, które dopiero wówczas mają „dobry" dzień, gdy wskazówka na wadze spada poniżej pewnej kreski. Ja mieszczę się gdzieś pośrodku. Jeden z moich osobistych problemów dotyczy obsesji na temat diety i ćwiczeń fizycznych.

Kiedyś ważyłam się codziennie – zawsze po porannym bieganiu i całkowicie nago. Wchodziłam na wagę, wstrzymywałam oddech i patrzyłam na wynik. Ważenie stało się barometrem mojego całodziennego samopoczucia. Mówię o zupełnych drobiazgach; pół kilograma mniej, a ja czułam się dumna i szczęśliwa! Pół kilograma więcej – wpadałam w przygnębienie.

Na szczęście, pewnego dnia waga się zepsuła. Zanim kupiłam nową, minęło kilka tygodni. Musiałam zrezygnować ze swojego nawyku i uświadomiłam sobie, że czuję się dużo lepiej, kiedy się codziennie nie ważę. Dostrzegłam, że to proste przyzwyczajenie umacniało moją tendencję do nadmiernego koncentrowania się na ciele i wyglądzie. Wyeliminowałam ten maleńki nawyk, który w moim umyśle urósł do wielkich rozmiarów, i poczułam się dużo szczęśliwsza.

Moja bliska przyjaciółka zmagała się z tym samym problemem. Była niezmiernie podekscytowana, jeśli straciła pół kilo lub kilogram, a gdy przytyła, wpadała w depresję. Wyjaśniłam jej, że ja również ważyłam się każdego dnia. Zapytałam ją, czy automatycznie poczułaby się fatalnie, gdyby się zorientowała po przebudzeniu, że nie ma słońca. Roześmiała się i odparła, że nie. Porozmawiałyśmy o tym, że lepiej czuć się lżejszą, lecz rzeczywistość jest zupełnie inna; popadanie w pułapkę fałszywego przekonania, że mniejsza waga implikuje lepsze samopoczucie, jest jak pozwalanie, by pogoda decydowała, w jakim będziesz nastroju.

W dbaniu o wygląd nie ma nic złego i jest to z pewnością dobry sposób na zachowanie zdrowia dzięki właściwemu odżywianiu oraz ćwiczeniom. Wchodzenie na wagę każdego dnia jest już jednak obsesją. Znajdziesz większy spokój i zadowolenie, gdy pozbędziesz się takiego nawyku.

80

Łącz świat duchowy z materialnym

Biorąc pod uwagę całą pompę życia w materialnym świecie, poniższa strategia jest często łatwiejsza w słowach niż w czynach. Od wczesnych lat jesteśmy uczone, że zdobywanie rzeczy, szukanie ekscytujących doświadczeń lub gromadzenie coraz większych osiągnięć uczyni nas szczęśliwymi. Z pewnością nie ma w tym wszystkim nic złego, takie rzeczy mogą wzbogacać życie, lecz trzeba wiedzieć, że żadna z nich ostatecznie nie zapewni nam szczęścia.

Jeśli spojrzysz na to z dystansu, stanie się oczywiste, że jeśli coś miało dać ci uczucie spełnienia, to zapewne już się tak stało! W końcu większość z nas osiągnęła już wiele takich celów, które „miały uczynić nas szczęśliwymi". Zdobyłyśmy przecież jakąś cenną rzecz (lub rzeczy), które „miały przynieść nam radość i poczucie bezpieczeństwa", oraz wiele ekscytujących doświadczeń, które „miały dać nam satysfakcję". I chociaż w pewnym stopniu cenimy te swoje osiągnięcia, w dalszym ciągu pragniemy czegoś więcej. Łudzimy się po prostu, że następna rzecz z naszej listy uczyni cuda.

Gdy podróżujemy po świecie, często uświadamiamy sobie, jak bardzo my, Amerykanie, jesteśmy bogaci w dobra materialne i w jakim stopniu ubodzy duchowo.

Wiele lat temu wybraliśmy się z Richardem do Indii i ta podróż otworzyła nam oczy na wiele spraw. Chociaż myślałam, że przygotowałam się psychicznie do tej wyprawy, w rzeczywistości byłam wstrząśnięta widokiem ubóstwa, w jakim żyją ludzie w dużych miastach. Byliśmy poruszeni do głębi serca i to (bardziej niż cokolwiek innego) uświadomiło nam, jak jesteśmy bogaci w dobra materialne, choć ciągle odczuwamy potrzebę, by zdobyć jeszcze więcej. Inaczej mówiąc, te wszystkie rzeczy (przedmioty, osiągnięcia, pieniądze, doświadczenia) nie dawały automatycznie uczucia satysfakcji; ono musiało po prostu przyjść z naszego wnętrza.

Pozornie może się wydawać, że mamy najlepszą okazję, by zaspokajać duchowe potrzeby naszej natury wówczas, gdy zapewnimy sobie byt fizyczny. Jak mówi hierarchia potrzeb Maslowa, gdy nasze podstawowe potrzeby są zaspokojone, możemy uwolnić swoją uwagę i poświęcić całą energię głębszym potrzebom człowieczeństwa oraz życiu duchowemu. Jednak często bywa zupełnie odwrotnie. Większość z nas koncentruje się jedynie na swoich potrzebach materialnych i ambicjach, by coraz więcej mieć. Ignorując swoją duchowość, dbamy wyłącznie o wygody fizyczne i chwilowe korzyści.

Z drugiej strony, kraj taki jak Indie stworzył jedną z najbogatszych kultur duchowych na świecie, pomimo wielkiego niedostatku, jaki musi znosić większość Hindusów. Dlaczego tak się dzieje?

Możliwe, że w kulturze, która w całej swojej historii opierała się na systemie kastowym, wielu ludzi traci nadzieję na spełnienie swych marzeń materialnych i zapewnienie sobie bezpieczeństwa finansowego. Może to być również związane z przekonaniem, że ludzie rodzą się w określonych warunkach i okolicznościach, a ich życie jest z góry przesądzone. Ta sytuacja uwalnia prawdopodobnie zdolności do badania wewnętrznego królestwa ich duchowości. Wielu ludzi w Indiach dzieliło się ze mną tą oczywistą, lecz jakże wielką prawdą, że zdolność do pielęgnowania własnej duszy i do uznawania swej duchowości jest sprawą najważniejszą niezależnie od okoliczności.

Swoją drogą, te z nas, które są posiadaczkami wielkich fortun, często nie odczuwają szczęścia i wewnętrznej błogości. Żyją za to z przeświadczeniem, że wolność finansowa i zaspokajanie pragnień fizycznych są jedynym źródłem szczęścia. Lecz gdyby rzeczywiście tak było, to czy tak wielu ludzi, którzy to osiągnęli, byłoby tak strasznie nieszczęśliwych i przygnębionych?

Nie jestem rzeczniczką ubóstwa z wyboru. Jednak z mojego punktu widzenia jednym z naszych najistotniejszych wyzwań duchowych jest uznanie faktu, że rozterki związane ze światem materialnym służą częściowo temu, abyśmy mogli dostrzec, że istnieje coś jeszcze poza nim; abyśmy mogli żyć w komforcie i jednocześnie nadmiernie się od niego nie uzależniać; zdobywać rzeczy materialne bez niepotrzebnej chciwości czy jakimś niemoralnym i nieetycznym sposobem; abyśmy mogli cieszyć się nimi i doceniać ich walory, lecz jednocześnie nie lekceważyć piękna i prostoty natury. A przede wszystkim, abyśmy w końcu zdali sobie sprawę, że żadna z tych „rzeczy" tak naprawdę nie ma znaczenia.

Podążając tym tropem, możemy wykorzystać wyzwania świata materialnego, by dorosnąć, rozwinąć się i stać się lepszymi ludźmi. Posiadanie komputera jest na przykład pewnym materialnym udogodnieniem, lecz co robisz, kiedy się zepsuje? Wściekasz się czy wykorzystujesz to doświadczenie, by zwiększyć swoją perspektywę? Czy kiedy w poniedziałek wieczorem idziesz do swojej ulubionej restauracji i zastajesz zamknięte drzwi, pamiętasz, jak jesteś szczęśliwa, że masz tyle pieniędzy, żeby w ogóle wyjść? Możemy wykorzystać większość naszych codziennych doświadczeń, a nawet wszystkie, w tym kłótnie i sprzeczki, jako potwierdzenie faktu, że życie nie jest wiecznym spełnianiem naszych oczekiwań, albo użyć ich do tego, by rozwijać się, stać się bardziej cierpliwą i kochającą.

Największe znaczenie ma oczywiście to, jak dobrze nauczymy się kochać – same siebie, innych, przyrodę, nasz kraj, świat i Boga. Na łożu śmierci niektóre z nas powiedzą z pewnością: „O Boże, żałuję, że nie byłam lepsza" lub „Żałuję, że gromadziłam w życiu tylko rzeczy". Większość z nas przyzna również, że zadręczanie się drobiazgami było całkowitą stratą czasu. Życie jest za krótkie i zbyt piękne, by tracić je na tak błahe frustracje.

Radość z materialnych dobrodziejstw nie jest niczym złym i na pewno warto ciężko pracować, aby twoja rodzina czuła się bezpieczna, lecz należy uświadomić sobie, że jeśli chcesz być szczęśliwa, nie możesz na tym poprzestać. Kiedy łączysz świat materialny ze światem duchowym, możesz zadawać sobie wiele pytań. W jakim stopniu żyjesz w zgodzie z duchowymi zasadami i wartościami, które sobie wyznaczyłaś? Czy potrafisz sprostać codziennym wyzwaniom, które pojawiają się po to, by sprawdzić twój system wartości? Czy niedziela jest jedynym dniem, podczas którego poświęcasz odrobinę swego czasu na rozwój duchowy? W jaki sposób próbujesz połączyć swe zasady duchowe z karierą zawodową?

Aby odczuwać zadowolenie, musimy znaleźć odpowiedni sposób, by wpleść swoją duchowość w nasz świat materialny. Jesteśmy w końcu istotami duchowymi wyposażonymi w ludzkie doświadczenia! Ponieważ szczegóły życia różnych osób są odmienne, sposób, w jaki rozwiniemy tę strategię, będzie również odmienny. Jestem przekonana, że dzięki chwili szczerej refleksji będziesz mogła połączyć te dwa światy. A kiedy tego dokonasz, okaże się, że było warto!

81

Wiedz, kiedy się wyrwać
z ogłupiającej pułapki technologii

Pamiętasz, że kiedyś nazywało się telewizję „ogłupiającą skrzynką" (czy to nie straszne określenie?), ponieważ zaczynała obsesyjnie dominować nad naszym życiem? Cóż, z rewolucją techniczną jest dokładnie tak samo. Musisz zatem dostrzec ten moment, kiedy zaawansowane urządzenia komunikacyjne w zasadzie zaczną ograniczać twoją wolność, czyniąc cię swoją niewolnicą, zamiast dostarczać ci nowych możliwości rozwoju.

Zawsze mamy wybór; możemy sprawić, by technologia dodawała nam czasu i przestrzeni do życia, albo wpaść w pułapkę jej zawrotnych możliwości, które utwierdzają tylko naszą potrzebę, by w ciągu jednego dnia zrobić jeszcze więcej. Bardzo łatwo zapominamy o tym, na co Richard tak wnikliwie zwrócił uwagę w książce *Nie przejmuj się drobiazgami*: „Kiedy umrzesz, twój kosz nie będzie pusty". Nigdy nie zdołasz zrobić wszystkiego, więc jak wiele swojej bezcennej życiowej energii zdołasz jeszcze poświęcić?

Na początku ery komputerów obiecywano, że nowa technologia zapewni nam większą wydajność, dzięki czemu zyskamy więcej wolnego czasu. Jednak w rzeczywistości stałyśmy się jedynie bardziej zabiegane, przybyło nam zadań i wiecznego pośpiechu, a wszystko przez pagery, telefony komórkowe, faksy, no i oczywiście przez Internet oraz rewolucję związaną z elektronicznym handlem. Często odnosimy wrażenie, że telefony komórkowe pozbawiają nas wszelkich wymówek, by nie odebrać rozmowy, nawet jeśli jesteśmy na wakacjach lub spędzamy czas ze swoimi dziećmi. Te wszystkie rzeczy miały nam dać więcej czasu i podwyższyć jakość życia, a nie zabierać nam to!

Możesz jednak dokonać zupełnie innego wyboru i ustanowić nowe standardy dla swoich przyzwyczajeń związanych z pracą, pozwalając technologii, by pracowała dla ciebie. Możesz wypracować sobie więcej czasu, zamiast poświęcać go na kolejne zajęcia. Kobiety często narzekają, że mają za mało czasu na rozmowy ze swoimi dziećmi w wieku szkolnym. Dlaczego więc tak wielu rodziców, wożąc dzieci do szkoły, wykorzystuje czas na rozmowy przez telefon komórkowy i spędza ten czas z kimś innym? Ta piętnastominutowa jazda może być szansą na kontakt z twoimi dziećmi i poświęcenie im całkowitej uwagi.

Technologia może zaszkodzić jakości twojego życia, gdy wykorzystujesz zaoszczędzony czas na kolejne zajęcia. Mogłabyś znaleźć się w takiej sytuacji, że liczba telefonów, na które musisz odpowiedzieć w ciągu dnia, stanie się wprost nieograniczona. Spróbuj zmniejszyć liczbę rozmów telefonicznych w drodze z pracy do domu, a gdy jesteś już na miejscu, bądź rzeczywiście z tymi, których kochasz. Daj sobie spokój z telefonami również wtedy, gdy jesteś na meczu, w którym gra twój syn. A gdy pojawisz się w drzwiach, nie włączaj od razu laptopa i nie sprawdzaj swojej poczty. Porozmawiaj za to szczerze ze swoimi dziećmi i mężem. Pozwoliłyśmy, by technologia dyktowała nam coraz szybsze tempo. Ale dokąd, na Boga, tak pędzimy?

Ponieważ najbardziej potrzebujemy w życiu równowagi, możemy zgodzić się na to, by technologia odpowiednio nam służyła, ale wyznaczmy odpowiednie granice i nie dajmy się wciągnąć w jej ogłupiającą pułapkę. Zastanów się, kiedy powinnaś wyłączyć pager i telefon komórkowy. Ma to szczególne znaczenie, gdy jesteś pracującą mamą i chcesz spędzić wolny czas ze swoim mężem i dziećmi.

82

Nie pozwól, by gniew zabrał ci to, co najlepsze

Mamy nieskończenie wiele okazji do zastosowania tej strategii, która może się okazać wyjątkowo pomocna, zwłaszcza wtedy, gdy weszłyśmy z kimś w konflikt.

Jeśli kiedyś wynajmowałaś pracowników, którzy mieli pomóc ci w budowie lub remoncie domu, to wiesz, że współpraca z nimi wiąże się z nieodłącznymi frustracjami. W zeszłym roku przeżyliśmy nieprzyjemne, a właściwie bardzo przykre doświadczenie w związku z awarią zbiornika na nieczystości. Po długiej batalii ze środowiskowym urzędem zdrowia i miejską agencją do spraw usuwania nieczystości zdecydowaliśmy się na podłączenie do kanalizacji. Wymagało to podłączenia rury biegnącej od naszego domu ku dołowi dość wysokiego wzgórza oraz zainstalowania pompy, tłoczącej nasze nieczystości w górę innego wzgórza aż do ulicy odległej o jakieś czterysta stóp. Było to raczej kosztowne rozwiązanie, lecz naszym zdaniem najbardziej trwałe.

Po roku zaczęliśmy mieć problemy z pompą. Czekanie na przedsiębiorcę budowlanego, który miał ustalić przyczynę awarii, zabrało nam kilka dni; kolejny tydzień czekaliśmy na „specjalistę", który miał ją usunąć. Rzekomo obaj odpowiednio zajęli się naszym problemem i naprawili urządzenie. Ostatnio wybrałam się do sąsiadki, aby pomóc jej w sadzeniu kwiatów. Przechodziłam obok pompy i przykry zapach poinformował mnie, że znowu coś się zepsuło. Możesz sobie wyobrazić, że wcale nie byłam szczęśliwa. Wprost przeciwnie. Pognałam na górę, gotowa zagrozić przedsiębiorcy budowlanemu procesem sądowym. Wzięłam jednak kilka głębokich oddechów i przypomniałam sobie, że nie mogę pozwolić, by gniew zabrał mi to, co we mnie najlepsze. Wiedziałam bowiem, że nikt nie zareaguje właściwie na mój osobisty atak. W rzeczywistości jest zupełnie odwrotnie. Gdy okazujesz szacunek nawet w przykrym dla siebie położeniu, większość ludzi zareaguje uczciwością i zrobi wszystko, co w ich mocy, aby naprawić kłopotliwą sytuację. Tak się właśnie stało, gdy ze spokojem wyjaśniłam przedsiębiorcy budowlanemu, co się wydarzyło. W ciągu trzydziestu minut pojawił się specjalista, by zmierzyć się z nowym problemem.

Zamiast pozwalać, by gniew zabierał ci to, co najlepsze, możesz ukierunkować go tak, by pomógł ci w rozwiązaniu problemu. Twoja determinacja udzieli się każdemu, komu przekazujesz swoją wiadomość. Z kolei gdy gniew zabierze ci to, co najlepsze, może się okazać, że dopuściłaś do bezsensownego wybuchu, który zdmuchnął ci sprzed nosa rozwiązanie problemu. Lepiej atakować, gdy jesteś w stanie myśleć trzeźwo i spokojnie; awanturnicy generalnie nie osiągają zbyt wiele, ponieważ ludzie nie aprobują poniżających sytuacji. Wiele osób odpowie ci w ten sam sposób, zamiast przyznać się do popełnienia błędu. Kiedy jesteś spokojna i zrównoważona, otrzymasz taką odpowiedź, jakiej pragniesz.

To samo dotyczy oczywiście konfliktów z mężem czy dziećmi. Jeżeli na przykład zrobisz awanturę dzieciom, ponieważ nie posprzątały swoich pokoi, najprawdopodobniej odpowiedzą ci wzruszeniem ramion (zwłaszcza jeśli są nastolatkami). Lecz gdy porozmawiasz z nimi i racjonalnie wyjaśnisz, dlaczego nie mogą oczekiwać, że będziesz wypełniać ich obowiązki, robiąc jednocześnie wszystko, co musisz i tak już robić, wiele dzieci wykaże się w tym momencie większą odpowiedzialnością. Może się zdarzyć, że nie będą utrzymywały w pokojach takiego porządku, o jakim marzysz, ale prawdopodobnie zdołają wypracować jakiś własny standard.

Jeśli będziesz reagować mniej impulsywnie, sprawisz ulgę nie tylko tym, którzy zasłużyli na twój gniew; twoje życie również będzie mniej stresujące i spokojniejsze. Jeśli postanowisz, że nie pozwolisz, by gniew zabierał ci to, co najlepsze, będzie to prawdopodobnie jedna z najważniejszych decyzji, jakie kiedykolwiek podjęłaś.

83

Korzystaj z okazji

Zauważyłam jakieś niezwykłe powiązanie między tymi kobietami, które wykorzystują okazję, robią sobie przerwę i łapią oddech, a tymi, które są szczęśliwe, zrelaksowane i zadowolone! Mam tutaj na myśli przede wszystkim te kobiety, które nie czekają na chwilę czasu dla siebie, lecz wykorzystują ją, gdy tylko się nadarzy. Niestety bywa również zupełnie inaczej. Kobiety, które tego nie potrafią, odkładają wszystko na później lub wiecznie szukają powodów, dla których „nie mogą" lub „nie powinny" mieć czasu wyłącznie dla siebie, często czują się wypalone, zestresowane, wyczerpane, a nawet urażone.

Świadomość, że jesteś kobietą, która nie boi się wypoczywać od czasu do czasu, jest bardzo uspokajająca. Bez względu na to, czy jest to wieczorny wypad do miasta, wizyta w księgarni, spacer po lesie lub weekend spędzony samotnie bądź z przyjaciółkami, czas wolny od codziennych obowiązków jest koniecznością zarówno emocjonalną, jak i duchową.

Ciekawe, że choć większość kobiet uzna to za naprawdę ważną sprawę, niektóre z nas zawsze znajdą sposoby, aby nie wypoczywać. Znam wiele pań, które mają mnóstwo okazji, by odpocząć od obowiązków, lecz nie potrafią tych okazji nawet rozpoznać. Oto przykłady: przyjaciółka zaprosi taką osobę na wieczorne spotkanie; ktoś zaproponuje jej wyjazd na weekend lub na wycieczkę; a może sama pragnęłaby tak zaplanować dzień, by spędzić go na swoich przyjemnościach. Ona jednak nie powie: „Świetnie, zróbmy to"; odpowie: „Bardzo bym chciała, ale mam zbyt dużo pracy" albo „To nie jest najlepsza pora".

I tak bez względu na to, jak ważne są jej powody, w głębi duszy wie, że z największą ochotą zrobiłaby sobie przerwę. Lecz zamiast zrobić to, co jest niezbędnym warunkiem szczęścia, będzie unikać zabawy, lekceważyć swoją potrzebę wypoczynku, a w konsekwencji – świadomie lub nieświadomie – poczuje się dotknięta i urażona. Wiem, że to prawda, ponieważ bez przerwy o tym słyszę. Kobiety mówią mi: „O Boże, chciałabym więcej wychodzić i więcej robić dla siebie".

Znam kobietę, która nieustająco marzy o tym, żeby odpocząć od swoich dzieci. Kiedy jej przyjaciółki albo krewni mówią: „Hej, z przyjemnością zajmiemy się twoimi dziećmi podczas weekendu", ona odpowiada uprzejmie: „Dziękuję, ale to nie jest odpowiednia pora". I nigdy nie było tego odpowiedniego weekendu; zawsze miała jakąś dobrą wymówkę. Podczas naszego kolejnego spotkania narzekała, że jest wyczerpana, a potem zaczęła mówić o tym, jak szczęśliwe są inne kobiety, które znajdują jakieś sposoby, by „uciec" wraz ze swoimi mężami. Ona miała wiele takich okazji, lecz nigdy ich nie wykorzystała.

Oczywiście nie możesz, ani nie chciałabyś, korzystać z każdej okazji, jaka się nadarzy (chyba że są naprawdę sporadyczne). Natomiast jeśli przywykłaś do przepuszczania każdej sposobności, jaka ci się trafia, jesteś na najlepszej drodze, by stracić szansę na bardziej harmonijne i zrównoważone życie. A więc zwróć większą uwagę na te wszystkie okazje i zrób sobie przerwę. Będziesz zachwycona swoim wspaniałym samopoczuciem.

84
Poszerz swoje pole widzenia
i zdobądź nową perspektywę

Kiedy czujesz się przygnębiona i koncentrujesz się na „drobiazgach", a życie nie spełnia twoich nadziei i marzeń, spróbuj sprowadzić problemy do mniejszych rozmiarów, poszerzając jednocześnie swoje pole widzenia. Możesz zwiększyć perspektywę, aby wyrobić sobie bardziej ogólny pogląd na różne rzeczy. Twoje postrzeganie stanie się dużo bardziej przejrzyste, gdy zredukujesz problemy do ich właściwych „drobiazgowych" rozmiarów. Najlepszym znanym mi sposobem dostosowania oczekiwań do rzeczywistości jest porównanie ich z szerszym obrazem, jaki oferuje nam życie.

Twoje postrzeganie świata może być analogiczne do sposobu działania aparatu fotograficznego. Możesz skoncentrować się na bliskiej perspektywie lub użyć szerokokątnego obiektywu i zwiększyć pole widzenia. Gdy skupiasz się na jakimś konkretnym problemie, życie wydaje się bardzo trudne i zbyt drobiazgowe. Natomiast jeśli porównasz swoje niewielkie kłopoty do wielkich dramatów, które dzieją się na świecie, poszerzysz swój zasięg widzenia i zdobędziesz większą perspektywę; zobaczysz, jak małe są w istocie twoje problemy.

Bardzo łatwo jest przyzwyczaić się do koncentrowania uwagi na sobie i zapomnieć o tych, którzy mają w życiu jeszcze mniej szczęścia niż ty. Na przykład kobiety z obsesją na punkcie swojej wagi wkładają całą energię w to, aby schudnąć. Ich wygląd i ciało stają się dla nich wszystkim i tracą w ten sposób szersze spojrzenie na życie. Te kobiety, młodsze czy starsze, pozwalają, aby ich życie stało się małą czarną plamką na dużej białej karcie. Wyobrażają sobie, że ich życie jest właśnie takim małym czarnym punktem, który reprezentuje ich jedyny cel – być szczuplejszą. Tymczasem prawda jest zupełnie inna; życie jest wielką, czystą białą kartą. Te same zasady można zastosować wówczas, gdy zanadto koncentrujesz się na tym, czego nie masz, na przykład na meblu, którego ci brakuje, lub na bluzce, o której marzysz. Nie potrafisz odczuwać wdzięczności za to wszystko, co już masz. Jeśli stwierdzisz, że skupiasz się jedynie na tych drobiazgach, których nie posiadasz, to znak, że chwilowo straciłaś ostrość widzenia i brakuje ci perspektywy. W takim wypadku możesz rozważyć wyprawę do miejscowego schroniska dla bezdomnych lub jadłodajni, co pomoże ci w odzyskaniu właściwej oceny twojej sytuacji.

Oglądanie wiadomości ze świata również powinno pomóc w zredukowaniu ciężaru problemów i zdobyciu pewnego dystansu. Część spraw, na które narzekamy w Stanach Zjednoczonych, to sprawy naprawdę niewielkie w porównaniu z problemami innych narodów. Na przykład podczas wojny w Kosowie czułam w zasadzie wdzięczność za to, że muszę płacić podatki. To mała cena za taki luksus, jakim jest życie w kraju wolnym od politycznego ciemiężenia i wszystkich tragedii, które przynosi ze sobą wojna.

Kiedy czujesz się przygnębiona z powodu stanu swoich finansów, przypomnij sobie, że są ludzie, którzy nie mają jedzenia ani dachu nad głową. Zwykły fakt, że możesz czytać tę książkę – lub jakąkolwiek inną – wskazuje na to, że posiadasz pewien majątek.

Czy wiedziałaś, że we wszechświecie jest więcej gwiazd niż ziarenek piasku na plaży? Następnym razem, gdy zaczniesz martwić się jakimś podejrzanym odgłosem w swoim samochodzie, telefonem, na który nie odpowiedziałaś, coraz większą stertą brudnych rzeczy czy też tym, że nie zdołałaś wyremontować swojej kuchni, pomyśl, jak małe są te troski w porównaniu z bezmiarem gwiazd we wszechświecie. Poszerz swoje pole widzenia, by zobaczyć szerszy obraz rzeczywistości, i przestań patrzeć na życie spojrzeniem zawężonym jedynie do drobiazgów. Dzięki temu twoje postrzeganie stanie się bardziej klarowne i wyraźne, a doświadczenia będą dużo spokojniejsze i przyjemniejsze.

85

Wynegocjuj na nowo swoje granice

Jeśli złościsz się na kogoś, ponieważ w jakiś sposób zmienił się lub rozwinął, jest to z pewnością nieco egoistyczne zachowanie. Lecz jest to uszczerbek również i dla ciebie, jeżeli nie przyznajesz sobie takiego samego przywileju.

Kobiety zmieniają się bezustannie, zarówno w środku, jak i zewnętrznie. Nie jesteśmy tymi samymi osobami, którymi byłyśmy dwadzieścia, dziesięć, pięć lat temu, a nawet rok. Inne są okoliczności naszego życia, inne są również nasze ciała. Podobnie jest z preferencjami. Odmienne są także nasze potrzeby oraz interesy. Dorastamy, zmieniamy się i, mam nadzieję, rozwijamy.

Przy tak zmiennej naturze, jaka została nam dana, szaleństwem byłoby pozostawanie przy tych samych granicach, nie dostosowanych do różnych faz naszego życia. Problem polega na tym, że wielu ludzi nie chce, abyśmy się zmieniały. Pragną, abyśmy przez cały czas pozostawały dokładnie takie same, jakie byłyśmy kiedyś. Dotyczy to zwłaszcza naszych mężów, rodziców, chłopaków, dzieci i przyjaciół. Nie chcą, abyśmy tworzyły nowe granice, a zachowując się w ten sposób, na pewno nie mają na względzie wyłącznie naszego dobra. Prawdę powiedziawszy, robią z tego powodu trochę zamieszania. Zdolność przewidywania czyjegoś zachowania zapewnia pewien stopień komfortu i wygody. A gdy ludzie czują się dobrze i przyjemnie, zmiana jest ostatnią rzeczą, jakiej pragną.

Warto jednak zdobyć się na taki wysiłek pomimo trudności, z jakimi możesz się zmierzyć, ustanawiając swoje nowe granice. Świadczy to bowiem o uczciwym podejściu do swoich potrzeb, a jednocześnie wskazuje twoim bliskim, jak powinni cię traktować, abyś czuła się spełniona. Dzięki temu będziesz przecież szczęśliwsza, podobnie jak ci, których kochasz. Jest takie prawo natury, które mówi, że gdy jestem szczęśliwa, lepiej się bawię. Jestem również bardziej oddana, kochająca i pomocna. Kiedy więc ustanowię granice, których w danej chwili pragnę, jestem milsza, łagodniejsza, bardziej szczera, a nawet seksowna. Krótko mówiąc, jestem lepszym człowiekiem.

Należy uznać, że granice nie są czymś negatywnym. Każdy je ma; sprawa polega jedynie na tym, gdzie je ustanowisz. Każdy potrzebuje na przykład chwil samotności, kwestia tylko ilu. Jeden potrzebuje tego czasu niewiele, a drugi bardzo dużo. Granica jest jak linia na piasku, która oznacza, że możesz dojść do tego miejsca i ani kroku dalej.

Kiedyś poznałam babcię, która miała siedmioro wnucząt. Powiedziała mi, że pierwszej szóstce poświęciła całą swoją uwagę. Ustaliła ze swoimi córkami i synami, że mogą przywozić jej dzieci, kiedy tylko zapragną, ponieważ ona zawsze będzie miała dla nich czas. Kiedy przyszedł na świat siódmy wnuk, odczuła potrzebę zmiany. „Nie zrozum mnie źle", powiedziała, „Kocham wszystkie wnuki jednakowo, lecz po raz pierwszy w życiu zdałam sobie sprawę, że chcę podróżować. Nie zawsze, oczywiście, tylko czasami. Potrzebuję po prostu trochę czasu dla siebie".

W tym momencie należy postawić następujące pytania: Czy ta kobieta musi pozostać na zawsze dokładnie taka sama? Czy ustanowienie nowych granic jest wyrazem jej egoizmu? Jeśli mnie zapytasz, odpowiem, że nie. Jest daleka od egoizmu, ponieważ nadal spędza mnóstwo czasu ze swoimi wnukami. Dała jasno do zrozumienia, że kocha każdego z nich. W dalszym ciągu robi z nimi wiele rzeczy, uczestniczy w szczególnych wydarzeniach ich życia, z radością przyjmuje je w swoim domu i jest z nich niezmiernie dumna. Natomiast sedno sprawy leży w tym, że po prostu się zmieniła. Zapragnęła nowych granic i nowych zasad postępowania.

To z pewnością nie było proste. Wymagało od niej pewnego wysiłku i odwagi. Jej dzieci początkowo utrudniały sprawę, usiłując sprawić, by czuła się winna. Tak postępuje wiele osób zmuszonych do zaakceptowania nowych granic drugiego człowieka. Czują się bowiem zranione i odrzucone. Dawny sposób postępowania matki upoważnił dzieci do dysponowania jej czasem. Zamiast być wdzięczne za wszystko, co dla nich robiła i dalej robi, poczuły się odrzucone. A w rzeczywistości to dzieci, a nie ich matka, były egoistami. Lecz ona wytrwała i zrealizowała swój cel. Odkryła, że może mieć jedno i drugie, czyli czas dla siebie i dla wnucząt. A ponieważ podeszła do wszystkiego z miłością, życzliwością i uczciwością, dzieci nauczyły się akceptować jej granice, a nawet je szanować.

Od czasu do czasu również i pary potrzebują ustalenia nowych granic. Richard zawsze zachęcał mnie do spędzania czasu w samotności. Jednak gdy nasze dzieci były bardzo małe, było to trudne także i dla niego. A kiedy podrosły, na nowo ustalił swoje granice, aby zyskać odrobinę czasu dla siebie. Wynegocjował to zarówno z dziećmi, jak i ze mną, i nie ma w tym nic złego. Spędza z nami bardzo dużo czasu, lecz jednocześnie ma czas tylko dla siebie. Gdybyś go o to zapytała, odpowiedziałby, że ustanowienie tych granic odegrało ogromną rolę w jego osobistym szczęściu. Ja również staram się tak postępować. Bardzo lubię wychodzić w pewne miejsca sama bądź z przyjaciółkami. Ustaliłam swoją granicę, mówiąc po prostu: „Jest mi to potrzebne". Richard bardzo szanuje moją potrzebę, a dzieci również się tego uczą.

Kiedyś spotkałam kobietę, która powiedziała, że jej mąż dostał szału, gdy oświadczyła, że nie ma ochoty wykonywać wszystkich prac domowych. Odpowiedział jej: „Ty nigdy się tym nie zajmowałaś". Dajcie spokój! Chyba widzicie, że ustanowienie nowych granic jest dla niej absolutną koniecznością?

Problem polega na tym, że jeśli nie macie odwagi powiedzieć, czego potrzebujecie, nigdy tego nie dostaniecie! Twój mąż, dzieci czy chłopak nie potrafią czytać w twoich myślach, to zupełnie nierealne. A nawet gdyby potrafili, wątpię, czy ustalą twoje granice za ciebie. W żadnym wypadku! Jeżeli się zmieniłaś i potrzebujesz nowych granic, jakiekolwiek by one były, wszystko zależy od ciebie.

To bardzo ważna sprawa, która wymaga wnikliwej refleksji. Możesz stwierdzić, że zastosowanie tej strategii jest niezwykle trudne, lecz w końcu warto spróbować. Powodzenia!

86

Nie zwalczaj ognia ogniem, jeśli nie pali się w sposób kontrolowany

Gdy inni wybuchają gniewem lub zachowują się wobec nas agresywnie i wrogo, mamy ochotę odpowiedzieć tym samym i zaatakować. Kłócimy się więc, krzyczymy, wrzeszczymy lub bronimy się w inny sposób. W pewnym sensie próbujemy więc zwalczać ogień ogniem. Jednak zazwyczaj stajemy się przez to jeszcze bardziej sfrustrowane, a problem często pozostaje nie rozwiązany. Czasami dolewamy jedynie oliwy do ognia i zaostrzamy konflikt.

Każdy popada od czasu do czasu w jakieś spory i jest przedmiotem ataku. Najlepszym sposobem zwalczania takiego ognia jest coś, co nazywam „kontrolowanym spalaniem". Chodzi o to, że czasami z pewnością jest czas i miejsce na gniew, lecz wszystko zależy od tego, w jaki sposób go okażemy – kontrolowany czy też nie – i jak zostanie przyjęta nasza reakcja. Jeśli potrafimy zachować względny spokój, nasze uderzenie będzie z pewnością mocniejsze i bardziej znaczące.

Pewnego razu podczas zakupów byłam świadkiem nadzwyczajnego przykładu ilustrującego tę strategię. Matka była w sklepie ze swoim nastoletnim synem, który wpadł w straszną złość, ponieważ nie chciała mu czegoś kupić. Chłopak zachowywał się niezwykle agresywnie. Sama będąc matką, potrafiłam wyobrazić sobie, jakie myśli pojawiają się w głowie tej kobiety. Jednak jej spokój i opanowanie są wspaniałym przykładem dla każdej z nas. Odpowiedziała mu stanowczym, lecz i współczującym tonem: „W głębi serca czuję, że nie chciałeś odezwać się do mnie w ten sposób. Wiem również, że później szczerze mnie przeprosisz". Oddałabym wszystko, żeby wtedy mieć przy sobie kamerę. Mogłabym pokazywać ten przykład na kursach dla rodziców na całym świecie!

To oczywiście czysta spekulacja, lecz jestem w stanie wyobrazić sobie, co by się stało, gdyby ta kobieta zareagowała wściekłością, gniewem i obelgami. Gdyby zganiła syna sfrustrowanym tonem i nie zachowała zimnej krwi, z pewnością nastąpiłaby eskalacja napięcia i nie byłoby mowy o żadnej poprawie. Taka spokojna reakcja, czyli „kontrolowane spalanie", rozładowało nieco tę napiętą i trudną sytuację. Konflikt został opanowany, a zranienie uczuć ograniczone do minimum.

Ta strategia działa cuda prawie w każdej sytuacji. Kiedy następnym razem ktoś spróbuje wciągnąć cię w jakąś ostrą batalię, wypróbuj ten sposób postępowania. Powinien zadziałać nawet wtedy, gdy ktoś ci ubliża i złorzeczy. Twoja wewnętrzna pewność wyda się niewzruszona i niezachwiana. Dzięki niej będziesz mogła postrzegać większość sporów jako mało znaczące drobiazgi. Pamiętaj, że gdy walczysz ogniem, nad którym panujesz, twój sposób komunikacji staje się dużo bardziej efektywny. Wszystkie spory i kłótnie będą mniej stresujące i spokojniejsze, ponieważ podchodzisz do problemu z prawdziwą wewnętrzną siłą.

87

Gdy próbujesz upraszczać, myśl o zapobieganiu

Już tyle zostało napisane na temat związku pomiędzy upraszczaniem a zmniejszaniem stresów. Jest jednak pewien aspekt, o którym często się zapomina, lecz – z mojego punktu widzenia – zupełnie niesłusznie, gdyż jest to prawdopodobnie jedna z najważniejszych rzeczy. Chodzi mianowicie o zapobieganie.

Przyjrzyjmy się temu bliżej. Gdy coś już raz znalazło się na swoim miejscu, na przykład źródło stresu, często nie jesteśmy w stanie tego zmienić. Świetnym przykładem jest tutaj zbyt napięty plan zajęć naszych dzieci. Mówią nam, że chcą chodzić na zajęcia baletu, piłki nożnej, ceramiki, gimnastyki, więc zapisujemy je na jeden kurs po drugim. Gdy zaczynamy wozić je na te wszystkie nadprogramowe zajęcia, okazuje się, że są wyczerpane i przeciążone pracą. I my również! (Często jest tak, że z różnych przyczyn to właśnie mamy biorą na siebie większość obowiązków związanych z wożeniem dzieci.) Jeśli jednak ograniczymy te dodatkowe zajęcia do jednego kursu na semestr, uprościmy sobie życie, a tym samym zredukujemy stres. Okaże się, że to całkiem proste, jeśli pomyślisz o tym, zanim zgodzisz się na każde zajęcia, o które proszą dzieci.

Ten sam sposób myślenia można zastosować do wielu aspektów życia. Richard i ja znamy ludzi, którzy działają nawet w czterech radach zarządu różnych firm i organizacji. Mając normalną pracę zawodową i obowiązki rodzinne, pędzą z jednego spotkania na drugie. I, co dziwne, bezustannie zastanawiają się, dlaczego są tak zestresowani i zabiegani! Problem polega na tym, że nie potrafili zapobiec stresom i powiedzieć „nie". Dodali za to jeszcze więcej obowiązków do swoich i tak napiętych rozkładów dnia.

Nawet jeśli bardzo kochasz swoje zwierzaki, możesz zapragnąć powiedzieć „nie" i nie brać następnego, gdy jeden z nich odejdzie na zawsze. Każdy nowy ulubieniec wymaga kolejnych wypraw do weterynarza, dodatkowego sprzątania, kupowania jedzenia, no a przede wszystkim jest jeszcze jedną istotą, która potrzebuje miłości, zabawy i troski. Zwykłe „nie" na kolejnego zwierzaka eliminuje ogromny ładunek przyszłych stresów. I nie ma to nic wspólnego z miłością do naszych czworonożnych przyjaciół. To raczej świadomość potęgi zapobiegania.

Jeśli robisz karierę zawodową, z pewnością wiesz, że istnieje nieograniczona liczba komitetów, rad i projektów, w których możesz uczestniczyć. Jeśli masz dzieci w wieku szkolnym, znajdziesz mnóstwo okazji do pracy społecznej w ich szkole oraz w fundacjach, do których mogłabyś należeć. Jeśli powiesz „nie" większej liczbie obowiązków, tym samym powiesz „tak" samej sobie. Richard zawsze pragnął mieć łódkę. W końcu postanowił spełnić swoje marzenie. Jednak w ostatniej chwili zawahał się, gdyż wyobraził sobie, że jego fantazja może się okazać dużo lepsza niż rzeczywistość! Zaczął myśleć o sprzątaniu, przechowywaniu i utrzymywaniu łodzi oraz o wszystkich sprawach z tym związanych. Nie jestem pewna, jaka będzie jego ostateczna decyzja, lecz wiem, że jest człowiekiem, który naprawdę docenia prostotę. Wydaje mi się, że jest zadowolony, iż chwilowo odłożył decyzję na później!

Tę samą filozofię możesz przenieść na tak proste sprawy, jak prenumerata kolejnego czasopisma i tym podobne. Zanim zaprenumerujesz następną gazetę, odwołaj przynajmniej jedną z poprzednich. Zanim zaczniesz planować następne spotkanie towarzyskie, upewnij się, że chociaż jeden weekend zarezerwowałaś wyłącznie dla siebie. Zanim dodasz do swojego życia coś, czego wcale nie musisz robić, spróbuj przewidzieć, jakie stresy będą się z tym wiązały. Jeśli będziesz uczciwa, może się okazać, że niemałe.

88

Powiedz: „Hej, to świetny pomysł!"
(a potem go zrealizuj)

Jeśli jesteś trochę podobna do mnie, prawdopodobnie masz kilka naprawdę wspaniałych przyjaciółek. I to właśnie one, może poza twoim mężem, narzeczonym i rodzicami, znają cię najlepiej. Dostrzegają twoje silne i słabe strony. Zdają sobie sprawę z tego, co cię denerwuje i co sprawia, że czujesz się rozbita. Potrafią przewidzieć, co cię uszczęśliwi, a co doprowadzi do szału!

Dlaczego więc, gdy nasze przyjaciółki – nawet te najlepsze – dzielą się z nami jakąś sugestią czy propozycją rozwiązania problemu, bardzo rzadko, a może nawet nigdy, nie korzystamy z ich rad? Jeśli spojrzysz na to zupełnie bezstronnie, możesz odnieść wrażenie, że to właściwie dość zabawne. Najczęściej w odpowiedzi na radę reagujemy w jeden z trzech poniższych sposobów. 1) Mówimy przyjaciółce, że już tego próbowałyśmy; 2) Natychmiast odpowiadamy, że nie możemy tego zrobić, co nie jest przeważnie niczym innym, jak tylko zwyczajową, wyuczoną reakcją; 3) Wysłuchujemy rady, ale nigdy jej nie stosujemy. Robimy dokładnie to samo co zawsze, i przeżywamy ciągle te same frustracje.

Od lat znam pewną kobietę, która ma czterech cudownych synów. Jej mąż regularnie wyjeżdża w interesach, więc wszystkie codzienne obowiązki związane z wychowaniem dzieci spoczywają w zasadzie wyłącznie na niej. Jeden z problemów mojej znajomej polega na tym, że dzieci są w różnym wieku. Oprócz niemowlaka ma dziewięciolatka, dwunastolatka i czternastolatka. Chłopcy chodzą na rozmaite zajęcia, na które trzeba ich wozić w różne części miasta. W przeciwieństwie do wielu kobiet Geena jest w tej dobrej sytuacji, że ma naprawdę dużo pieniędzy i może wynająć kogoś do pomocy. Lecz z jakichś przyczyn jeszcze tego nie zrobiła.

Niedawno pomyślałam, że Geena jest na krawędzi załamania nerwowego. Znam ją dobrze i wiem, że zaangażowanie w życie synów jest dla niej niezmiernie ważne. Jednak tak naprawdę polegało ono jedynie na wożeniu ich na niezliczone zajęcia. Gdy podwiozła gdzieś jednego syna, była już niemal spóźniona z następnym, co było przyczyną stresów, napięć i żalu. Nieczęsto miała okazję, by cieszyć się chwilą spędzoną na meczu lub innych zajęciach jednego z synów, ponieważ zawsze pędziła po następnego.

Była również „doskonałą" gospodynią, jeśli w ogóle coś takiego istnieje. Bez żadnej pomocy z zewnątrz prowadziła piękny dom, robiła śniadania, wieczorami pomagała przy lekcjach, rozsądzała kłótnie, i tym podobne. Nie do wiary, lecz uprawiała nawet ogród! Powiedzmy sobie szczerze, była męczennicą.

Nie potrafię powiedzieć, ile razy jej proponowałam, żeby przynajmniej spróbowała wynająć kogoś do pomocy. Było przecież wiele takich rzeczy, które mogła powierzyć komuś innemu, na przykład wożenie dzieci, sprzątanie, pracę w ogrodzie i przed domem. Wiedziała również o istnieniu doświadczonych i niedrogich korepetytorów, którzy z największą ochotą pomogliby jej dzieciom w odrabianiu lekcji. I prawdopodobnie zrobiliby to lepiej niż Geena. Wiem z całą pewnością, że mogła sobie pozwolić na te wszystkie luksusy, i wiem również, że czułaby się zupełnie spokojna, gdyby inne mamy lub tatusiowie odwozili jej dzieci na zajęcia. Strach, że ktoś inny zasiada za kierownicą, nie był tu więc żadnym problemem. Byłam przekonana, że Geena nie przyjmuje mojej rady (ani podobnych rad, których również udzielali jej inni) z bardzo prostego powodu: właśnie dlatego, że zaoferowała ją przyjaciółka. Reakcja Geeny była natychmiastowa, a źródło jej oporu tkwiło prawdopodobnie w takim rozumowaniu: „Skąd ona może wiedzieć, jak ciężko jest wychowywać czwórkę dzieci". I chociaż w tej kwestii miała całkowitą rację, nie oznaczało to, że moja rada nie była rozsądna i warta zastanowienia.

Słyszałam, że gdy możesz zrobić coś, co aprobują twoi rodzice, to jest to ostateczny dowód dojrzałości! Właściwy wniosek powinien brzmieć następująco: „Mądra osoba to taka, która przyjmuje dobre rady, nawet jeśli ich udzielają przyjaciele bądź krewni".

Najpierw pomyślałam, że Geena jest naprawdę wyjątkowa, lecz potem zdałam sobie sprawę, że jej opór w przyjmowaniu rad od przyjaciół jest w zasadzie typową reakcją. Uczciwie mówiąc, przyszło mi nawet do głowy, że sama również zachowuję się w taki sposób. Na przykład jedna z moich przyjaciółek powiedziała coś takiego: „Czy kiedykolwiek próbowałaś postępować z dziećmi tak a tak. To naprawdę pomaga łagodzić spory". A ja, nawet się nad tym nie zastanawiając, łapię się na starym sposobie myślenia: „To dobry pomysł, ale niestety zupełnie nieskuteczny w przypadku moich dzieci". A później zdaję sobie sprawę, że nigdy nie wypróbowałam pomysłu przyjaciółki.

W końcu uświadomiłam sobie, że – nie zawsze, lecz z pewnością bardzo często – moje przyjaciółki mają do zaoferowania całkiem dobre rady. Nauczyłam się, że przyjmowanie ich może być najkrótszą drogą do wyeliminowania niezwykle irytujących źródeł stresu. Dam wam dobrą radę: kiedy następnym razem przyjaciółka albo ktoś z rodziny przedstawi wam swoją sugestię – zwłaszcza jeśli macie jakieś kłopoty – weźcie ją sobie do serca i poważnie się nad nią zastanówcie. Kto wie, może to będzie właśnie ta odpowiedź, której szukacie.

89

Nie bierz wszystkiego zbyt poważnie

To bardzo interesująca strategia, którą warto przemyśleć, ponieważ – z jednej strony – nasze życie jest tak cennym darem; jest także magiczne i niezmiernie ważne. Nasze zmartwienia i troski są również słuszne i uzasadnione. Każda z nas ma swoje cele, plany, obawy i radości. Z pewnego punktu widzenia chcemy traktować je wszystkie bardzo poważnie i wierzcie mi, że ja czasami również to robię. Z drugiej strony, mamy tendencje, by podchodzić do wszystkiego odrobinę za poważnie, i przez to tracimy naszą wesołość i beztroskę. Zgadzacie się ze mną?

Kiedyś tato podzielił się ze mną refleksją, że życie jest tylko małą barwną plamką pomiędzy dniem naszych urodzin a dniem śmierci. Taka filozofia narzuca myśl, że jesteśmy tu tylko przez jedną tysięczną sekundy, trwamy tak krótko jak jedno mignięcie na ekranie telewizora. Postępujemy natomiast tak, jakby każdy drobiazg był wielkim kryzysem. Przypomnienie sobie tego oczywistego faktu niezwykle pomogło mi w dążeniu do zachowania odpowiedniej perspektywy i nietraktowania każdej sprawy tak niewiarygodnie poważnie.

Często tracimy perspektywę. Ktoś popełnia błąd w pracy lub w szkole naszych dzieci, sprawa wymyka się spod kontroli i staje się głośna. Wściekamy się (a przynajmniej reagujemy zbyt impulsywnie), gdy ktoś mówi okropne rzeczy, niesłusznie nas osądza lub patrzy złym wzrokiem. Spóźniamy się na spotkanie i świat się wali. Nieważne, że poprzednie trzysta spotkań odbyło się bez komplikacji. Telefon jest głuchy, a my ze złością trzaskamy słuchawką. Zapominamy, że przez ostatnie dwa lata, dzień po dniu, funkcjonował bez zarzutu. W naszym domu jest trochę bałaganu, a zachowujemy się, jakbyśmy czekały na wizytę prezydenta. Tracimy poczucie humoru, ponieważ zbyt wiele rzeczy zamieniamy w naprawdę wielkie sprawy.

Ta strategia na swój sposób trafia w samo sedno filozofii „nie zadręczaj się". W całym tym pośpiechu i krzątaninie dnia codziennego, w nadmiarze obowiązków, bardzo łatwo nadać zwykłym sprawom zbyt wielkie znaczenie. Lecz jeśli potraktujemy je trochę mniej poważnie, możemy przywrócić naszemu życiu radość, magię i tajemnicę.

Rozwiązanie polega częściowo również na umiejętności śmiania się z samej siebie, choćby tylko czasami. Spróbuj postrzegać siebie (i każdego innego) jako człowieka z charakterem. Poza nielicznymi wyjątkami, wszystkie postępujemy przecież najlepiej, jak potrafimy. Sądzę, że powinnyśmy po prostu zrobić przerwę, zarówno sobie, jak i innym. Nie oznacza to, że mamy obniżać swoje standardy lub zachowywać się nieetycznie. Chodzi tylko o to, abyśmy zwiększyły naszą perspektywę spojrzenia na różne sprawy, a zwłaszcza na „drobiazgi".

Gdy następnym razem znajdziesz się w korku ulicznym, spróbuj postąpić w ten sposób; zamiast ulegać stresowi i panice, zastanów się, czy możesz dostrzec odrobinę humoru w tym, że tak wielu ludzi bez przerwy próbuje gdzieś dojechać i zawsze odbywa się to tak samo. Wyobraź sobie istoty z kosmosu, które spoglądają na nas z góry, zastanawiając się, dokąd zmierzamy! A gdy stoisz w kolejce na poczcie albo w sklepie, a kasjerka rozmawia sobie w najlepsze z koleżanką, zamiast obsługiwać klientów, spróbuj zmienić wszystko w zabawę. Wyobraź sobie, że zachowujesz się w ten sam sposób (nawet jeśli nigdy byś tego nie zrobiła), kiedy inni spodziewają się, że będziesz wypełniała swoje obowiązki. I zamiast dawać kasjerce wykład lub myśleć o niej najgorsze rzeczy, uśmiechnij się do niej, gdy przyjdzie twoja kolej. Ćwicz się po prostu w nadawaniu rzeczom odpowiednich proporcji. To zadziwiające, lecz nawet przy odrobinie praktyki te wszystkie sprawy naprawdę nie będą się wydawały aż tak krytyczne. Zaczniesz zauważać nawet, że większość ludzi wykonuje świetną robotę. A jeśli nie, to i tak wkrótce znajdziesz się w domu i będziesz zajadać się pysznym obiadem.

Kiedyś byliśmy na lotnisku i czekaliśmy, żeby wejść na pokład samolotu. I wówczas podano komunikat, że bezpośredni rejs na Hawaje został opóźniony o trzydzieści minut. Część osób zaczęła zachowywać się tak, jakby zdarzył się koniec świata! A w istocie mieli poczekać na odlot do swojego raju zaledwie pół godziny dłużej. Nikt nie lubi opóźnień, ale to w końcu nic aż tak poważnego.

Pomijając prawdziwie bolesne momenty, możemy spojrzeć na życie z humorem, a wtedy stwierdzimy, że jest faktycznie całkiem zabawne. Im bardziej się starasz postępować w taki właśnie sposób, tym mniej frustracji odnajdujesz w tym całym zamieszaniu. Jeśli nauczysz się wykorzystywać tę strategię, będziesz się śmiała z rzeczy, które kiedyś doprowadzały cię do szału!

90

Bądź zadowolona ze swojej kobiecości

Choć przechodzimy różne koleje losu, cieszmy się naszą kobiecością. Jesteśmy szczęśliwe, mając niezliczone możliwości wyrażania siebie w kwestii naszego wyglądu – począwszy od wielkiej rozmaitości ubrań i butów, a skończywszy na fryzurach, makijażu i bieliźnie.

Bardzo wiele rzeczy cieszy mnie jako kobietę; makijaż i bielizna należą do mojej pierwszej dziesiątki! Kiedy odkryłam, że bokserki mojego męża wyglądają całkiem seksownie (na mnie), również poczułam się szczęśliwa, że urodziłam się kobietą i że mam tak wiele rzeczy do wyboru. Mamy to, co najlepsze z obu światów; możemy cieszyć się seksowną bielizną i nosić męskie bokserki.

Bielizna pozwala nam celebrować naszą kobiecość za każdym razem, kiedy się ubieramy. Uwielbiam dawać bieliznę moim najlepszym przyjaciółkom. Kiedy czujesz, że musisz dodać sobie trochę animuszu, kup nowy biustonosz i majtki, a starym powiedz do widzenia.

W te dni, gdy widząc się w lustrze, myślę: Uch, co to za kobieta na mnie patrzy?, jestem wdzięczna, że mogę dodać koloru swoim oczom i policzkom. Nic dziwnego, że niektórzy mężczyźni również lubią tego używać! Za każdym razem, gdy się maluję, czuję się jak artystka. Mogę po przebudzeniu wyglądać naprawdę blado, lecz kiedy zrobię makijaż, w ciągu zaledwie kilku minut staję się zupełnie inną kobietą. Nie jestem zwolenniczką zbyt ostrego makijażu. Prawdę mówiąc, większość kobiet wygląda o wiele lepiej z delikatnym makijażem, który wydobywa ich naturalne piękno.

Jeśli czujesz się wdzięczna za swoją kobiecość i cieszą cię nieskończone możliwości wyrażania siebie, powinnaś koniecznie odwołać się do tego uczucia w te dni, gdy wydaje ci się, że bycie kobietą jest przekleństwem.

91

Znaj swoje słabe punkty

Jedną z przyczyn frustracji i zdenerwowania jest to, że nie rozpoznałyśmy jeszcze swoich słabych punktów, czyli tych zachowań i reakcji, które powodują ludzie, naciskając na odpowiednie guziki. Mam na myśli to, że gdybyśmy tylko mogły wszystkich zadowolić, wreszcie byłybyśmy szczęśliwe. Prawda? Nie!

Jednym z kluczy do szczęścia i traktowania życia z większą swobodą jest znajomość swoich słabych punktów, czyli tych emocjonalnych „spustów", które sprawiają, że czujesz się zraniona, sfrustrowana, zestresowana lub zdenerwowana. Naciśnięcie tych „spustów" powoduje w konsekwencji twoją negatywną reakcję.

Znajomość słabych punktów jest czymś w rodzaju sygnału, który ostrzega cię przed zderzeniem z pociągiem, gdy jesteś na torach. Jeśli wiesz, co uderza w twój słaby punkt, możesz zrobić krok do tyłu i „zobaczyć, jak nadchodzi". Wówczas jesteś w stanie zabezpieczyć się odpowiednio, aby nie ponieść większych szkód. Innymi słowy, zamiast reagować jak zazwyczaj, możesz powiedzieć sobie: „Och, znowu to samo" albo „Uwaga, nadchodzi". To sposób przygotowania się do tego, by nie brać wszystkiego, co wyprowadza cię z równowagi, tak bardzo serio.

Jeden z moich słabych punktów objawia się wówczas, gdy moje córki reagują negatywnie na coś, co według mnie powinno je ucieszyć. Z jakiegoś powodu wyprowadza mnie to z równowagi i przygnębia, lecz z radością donoszę, że już nie tak bardzo jak kiedyś. I jak na ironię, gdy usiadłam, żeby opisać właśnie tę strategię, jedna z moich córek powiedziała mi, że „wcale nie chciała chodzić na te głupie treningi piłki nożnej". Dotychczas brałam takie komentarze za osobiste wycieczki. Teraz rozumiem, że nie ma w tym zupełnie nic osobistego; to po prostu jeden z moich słabych punktów. A wiedza o tym jest dla mnie ogromną pomocą.

Zorientowałam się, że gdy rozmowa zaczyna zmierzać w takim kierunku, a ja czuję, że ogarnia mnie frustracja – to „stare znajome uczucie" – należy wówczas zrobić krok do tyłu i powiedzieć sobie: „Wiem, że zaraz mnie to zdenerwuje. Nie warto. Nie poddam się temu". Zadziwiające, lecz właściwie za każdym razem ten sposób postępowania przynosi efekty. Pozwala mi również na spojrzenie z odpowiedniej perspektywy, dzięki czemu nie czuję się osobiście dotknięta.

W tamtym przykładzie z treningami piłki nożnej zachowałam więc spokój i współczucie, ponieważ przypomniałam sobie, co sama myślałam na ten temat, będąc w wieku mojej córki. W każdym razie na pewno nie chciałabym, żeby ktoś zmuszał mnie do ćwiczeń w potwornym upale. Pomyślałam również, że prawdopodobnie jest zmęczona, ma kiepski nastrój lub zły dzień. Dlaczego więc miałabym uważać, że to złośliwostka pod moim adresem? Ani przez chwilę nie sugeruję, że zawsze jestem w stanie zachować spokój i opanowanie. Twierdzę jedynie, że zastosowanie tej strategii sprawia, że jest to łatwiejsze niż kiedykolwiek przedtem.

Każdy z nas ma swoje słabe punkty. Richard reaguje na przykład bardzo negatywnie, gdy ktoś (powiedzmy cieśla) nie kończy pracy, za którą wziął już pieniądze. To zawsze doprowadza go do szału. Zauważyłam jednak, że zachowuje się inaczej, od kiedy rozpoznał, że jest to jeden z jego słabych punktów. Teraz sytuacja jest z wszelką pewnością o wiele lepsza, również i dla stanu jego nerwów! Najprawdopodobniej zawsze będzie się denerwował takimi sprawami, lecz już w zupełnie innym stopniu. A zatem gdy rozpoznasz swoje słabe punkty, przypuszczalnie będziesz się mniej przejmować drobiazgami!

Bez względu na to, jakie są twoje słabe punkty, przekonaj się, czy jesteś w stanie je rozpoznać. Będziesz mile zaskoczona tym, że o wiele spokojniej reagujesz na sprawy, które do tej pory doprowadzały cię do szału.

92

Wchodź przez otwarte drzwi

Jeśli jesteś taka jak większość ludzi, przeżywasz na pewno chwile słabości, tracisz orientację i nie jesteś pewna, w jakim kierunku zmierza twoje życie; inaczej mówiąc, w którą stronę masz poprowadzić swój statek. Ja również przeszłam w życiu kilka okresów takiej dezorientacji. Odkryłam jednak, że kiedy zaczynam podążać w jakimś kierunku, bez względu na to w jakim, gdy wchodzę przez otwarte drzwi, pojawiają się przede mną różne możliwości.

Twoja postawa ma ścisły związek ze zdolnością rozpoznania, czy na twojej drodze otworzyły się jakieś drzwi. Jeśli masz oczy szeroko otwarte na możliwości, jakie przynosi życie, i przyjmujesz wobec niego pozytywną postawę (gdy wierzysz, że wszystko skończy się dobrze), nie musisz stawiać sobie pytania: „Co mam zrobić ze swoim życiem?" Lepiej zapytaj: „Przez które drzwi mam przejść?"

Przechodzenie przez otwarte drzwi, połączone z odrobiną wiary, jest sposobem na życie przejętym wprost z filozofii zen. Przestaniesz się borykać i walczyć właśnie dzięki takiemu zastrzykowi wiary. Musisz uwierzyć, że gdy twoje doświadczenia stają się spokojniejsze, to znak, że jesteś na właściwej drodze. Natomiast gdy twoje doświadczenia stają się coraz trudniejsze, oznacza to, że prawdopodobnie zboczyłaś ze szlaku. W takich wypadkach kieruj się sercem; twoja głowa wprowadzi jedynie zamieszanie.

W „podejmowanie właściwych decyzji" jest zaangażowana twoja natura. Gdy naszym celem jest dokonanie właściwego wyboru, napełniamy głowy tak wielką liczbą różnych opcji i możliwości, że prowadzi to donikąd. Przez cały czas tkwimy dokładnie w tym samym miejscu. Możemy przyjąć, że istnieje wiele ścieżek, które prowadzą do punktu przeznaczenia. Możesz pukać do kilkorga drzwi, unikając dobijania się do tych, które wydają się zaryglowane. Stracisz wiele cennej energii, waląc do zamkniętych drzwi, lepiej wybrać te, które się otworzą, gdy zapukasz.

Na swojej drodze staniesz w obliczu wielu nowych wyzwań. Lecz dopóki będziesz posuwać się po ścieżce, choć z pewnym wysiłkiem, będziesz wiedziała, że wchodzisz przez otwarte drzwi. Natomiast, gdy coś kosztuje cię naprawdę wiele trudu, a nic się nie zmienia i nie osiągasz pożądanego celu, to znak, że zmierzasz w złym kierunku. Istnieje jednak szansa, że gdy masz silne, intuicyjne przeczucie lub pasję, odnajdziesz w końcu jakieś otwarte drzwi na swojej ścieżce. Jeśli wybierzesz drogę odpowiednią do twoich możliwości, w końcu osiągniesz rezultat, którego pragniesz. Różnica polega jedynie na tym, ile siły stracisz po drodze.

Myśl w kategoriach wchodzenia przez otwarte drzwi, a będziesz zdziwiona, z jaką łatwością dokonujesz swoich codziennych wyborów.

93

Panuj nad emocjami

Nie ulega wątpliwości, że jednym z kluczy do szczęśliwego życia, pełnego satysfakcji i zadowolenia, jest decyzja, którą musisz podjąć raz i na zawsze, by przestać winić innych ludzi i okoliczności za swoje emocje. Nie chodzi o to, że emocje są czymś złym, głupim czy niewłaściwym; rzecz w tym, że one są tylko twoje.

Oczywiście łatwiej powiedzieć, niż zrobić, niemniej jednak jest to niezmiernie istotna sprawa. W końcu większość z nas co jakiś czas odczuwa potrzebę, by myśleć o swoich problemach, narzekać na nie i litować się nad sobą. Nasze kłopoty związane są z miejscem, w którym mieszkamy, z pracą zawodową, mężem, narzeczonym, osobą, która działa nam na nerwy, a także ze szkołą, do której chodzą nasze dzieci, z sąsiadami, trudnościami finansowymi, niekorzystnymi zmianami w życiu i tak dalej.

Istnieje jednak ogromna różnica pomiędzy narzekaniem na pewne aspekty naszego życia i myśleniem, że to właśnie życie tak nas przygnębia, a takim narzekaniem, jakiemu towarzyszy świadomość, że to kwestia nas samych i sposobu myślenia wywołującego negatywne uczucia. A oto przykład.

Zeszłej zimy byłam wraz z rodziną w pewnej górskiej miejscowości wypoczynkowej i usłyszałam, jak ktoś powiedział: „Ten śnieg doprowadza mnie do szału". Przecież to oczywiste, że sam śnieg nie mógł być winowajcą ani przyczyną złego samopoczucia tej osoby. W naszym kurorcie były tysiące ludzi i prawie wszyscy, z wyjątkiem jednego przemęczonego dwuletniego brzdąca, cieszyli się dosłownie każdą minutą! Gdyby śnieg doprowadzał ludzi do pomieszania zmysłów, szaleństwo byłoby na porządku dziennym. Jedynym możliwym wyjaśnieniem w tej sytuacji jest sposób myślenia tej osoby. Jakaś wewnętrzna siła przekonywała ją, że śnieg jest zły; tą siłą była jej własna percepcja.

Ponieważ obwiniała śnieg za swoje nieszczęście, była skazana na negatywne doświadczenia. Nie panowała nad tym; nie potrafiłaby być szczęśliwa, dopóki zmiana pogody nie pozwoli jej na to. A przecież mogła powiedzieć sobie: „Boże, pozwalam, żeby myśli zabrały mi to, co najlepsze. Lepiej będzie, jeśli zmienię swoją postawę albo przeniosę się gdzieś niżej". W ten sposób przygotowałaby się na zmianę w swoim sercu. Nie twierdzę, iż powinna udawać, że lubi śnieg, aby wreszcie zaznać spokoju. Wszystko, co musiała zrobić w tej sytuacji, to przestać winić śnieg.

Ta sama zasada dotyczy również innych spraw. Nie ma nic złego w tym, że się wściekasz na swoją szefową, lecz ona nie potrafi kontrolować twoich myśli; nie jest też za nie odpowiedzialna. To samo dotyczy twoich sąsiadów, dzieci czy męża. Każdy może robić irytujące rzeczy, istnieje pewien pośrednik między drobiazgami, kłopotami i ludźmi twojego życia a twoim odczuwaniem. Tym pośrednikiem jest twoje myślenie, a panowanie nad nim jest źródłem wolności.

Podczas meczu piłki nożnej rozmawiałam z pewną matką, która powiedziała, że sąsiadka doprowadza ją do szału. Odczuwałam napięcie i stres, które naprawdę przeżywała ta osoba. Jestem pewna, że potrafisz wczuć się w jej sytuację, ponieważ wszystkie mamy sąsiadów, raz lepszych, raz gorszych. Lecz podarowanie sąsiadowi lub komukolwiek innemu tak dużej władzy nad swoimi uczuciami jest – według mnie – przepisem na nieszczęście.

Twoje emocje należą do ciebie. Twoje szczęście, przygnębienie, radość, smutek, gniew i ukojenie są tylko twoje! Możesz je lubić lub nie, lecz dźwigasz je ze sobą na dobre i na złe. I tylko ty jedna jesteś w stanie je zmienić. Jeśli chcesz je zmienić lub się ich pozbyć, musisz najpierw zapanować nad nimi i uznać, że są twoje.

Mam nadzieję, że przemyślisz tę strategię i spróbujesz zastosować ją w życiu. Najmniejsza zmiana w tym kierunku może przynieść ci poczucie władzy, pewności siebie, radości i zadowolenia z otaczającego świata.

94

Przypomnij sobie,
co oznacza bycie „istotą" ludzką

Czasem zastanawiam się, co pomyśleliby Marsjanie, gdyby mogli spojrzeć z góry i nas poobserwować. Założę się, że mogliby stracić orientację i nie rozumieć, dlaczego nazywamy siebie „istotami ludzkimi", podczas gdy nasze działania sugerują, że jesteśmy raczej „automatami ludzkimi".

W końcu „istnienie" oznacza, że jesteś obecna w każdym swoim działaniu, że jesteś absolutnie pochłonięta tym, co właśnie robisz. Takie podejście sugeruje, że ten właśnie moment (nie następny ani nie poprzedni) jest tą najważniejszą chwilą, którą przeżywasz. Jednak większość z nas jest bez przerwy tak zajęta, że robiąc jedno, żałuje czegoś innego, nieustająco się spieszy, planuje następne rzeczy. Przez to często wydaje się, że przestajemy dostrzegać chwilę, którą aktualnie przeżywamy.

Wielu ludzi zna zapewne powiedzenie: „Życie jest tym, co właśnie się dzieje; my wszakże jesteśmy zajęci snuciem innych planów". To smutne, lecz często tak jest. Jesteśmy tak pochłonięci tym, co dopiero ma się wydarzyć, lub tym, co się już zdarzyło, że tracimy z oczu to, co właśnie się dzieje.

Szaleńcze tempo, w jakim żyjemy, sprawia, że nasze dusze umierają z głodu i pragnienia. Aby odczuwać zadowolenie, potrzebujemy coraz większej liczby bodźców. Nie znajdując satysfakcji, wiele z nas uzależnia się od kolejnych podniet, od tego „co dalej". Zamiast w danej chwili cieszyć się życiem, jego pięknem, zwykłymi przyjemnościami, zamartwiamy się listą kolejnych „rzeczy do zrobienia". Jesteśmy zbyt zajęte, by w pełni zaangażować się w to, co robimy, ponieważ w tym samym czasie planujemy już następne zajęcia. Mówimy, że potrzebujemy więcej czasu, lecz gdy nawet coś zostaje odwołane, zazwyczaj znajdujemy sobie następną pracę. I znowu narzekamy na brak czasu. Prawdę mówiąc, jesteśmy po prostu uzależnione od braku czasu, ponieważ zwyczajnie nie wiemy, co zrobić, gdy trafi się nam jakaś wolna chwila.

Żyjemy w epoce zaawansowanej technologii, w której nawet najbardziej ludzkie i osobiste doświadczenia są zredukowane do bezosobowej cyberrzeczywistości, a kontakt z drugim człowiekiem wymaga obecności modemu. Aczkolwiek Internet jest nadzwyczajnym i godnym uwagi narzędziem oraz źródłem bezpośredniej i szybkiej informacji, ludzie wykorzystują go również na wiele zatrważających sposobów, zaśmiecając tym samym swoje umysły. Jeśli nieodpowiednio korzystasz z sieci, znajdujesz jedynie rozwiązanie stosowne dla człowieka, który uchyla się od życia i robi wszystko, żeby nie „być" tu i teraz.

Najlepszym rozwiązaniem wydaje się więc odnowienie

znajomości ze swoją „istotą" – tą cichą, spokojną częścią twojego jestestwa, która istnieje niezależnie od całej tej krzątaniny, zajęć, celów i odpowiedzialności. Właśnie ta część twojej osoby odczuwa zadowolenie z samego faktu swojego istnienia, a nie dlatego że wykonała kolejne zadanie.

Sposobem na odnowienie znajomości z tą mądrą i zapewniającą dobre samopoczucie częścią twojej świadomości jest eksperyment, który polega na tym, aby nie robić nic! Zgadza się, dokładnie nic. Chociaż może się wydawać, że to zupełnie niemożliwe, nagroda jest naprawdę wspaniała. Nie martw się, nie chodzi mi o bezczynne siedzenie całymi godzinami. Możesz zacząć od minuty lub dwóch i wypracować swój własny sposób. W spokojnym siedzeniu bądź leżeniu jest coś magicznego; coś, co pozwala ci oczyścić umysł i się uspokoić. Nasze umysły są trochę jak śnieżne kule, które tak uwielbiają dzieci. Gdy siedzisz w ciszy i nie zajmujesz się niczym, twój umysł ma szansę się uspokoić, wyciszyć, odpocząć i odzyskać inspirację. Brak wiecznego szumu i paplaniny, które bez przerwy zajmują nasze głowy, daje okazję zaistnienia twojej głębszej inteligencji. To nie my zajmujemy się w takiej chwili myśleniem, to prawie tak, jakby myślenie dokonywało się samo, wydobywając się gdzieś z naszego wnętrza.

Gdy trochę poćwiczysz, stwierdzisz, że jesteś o wiele spokojniejsza i bardziej wyciszona, nie wypełniając każdej wolnej chwili jakimś działaniem. To z kolei pomoże ci uspokoić twój napięty rozkład dnia, a zarazem życie.

A wtedy kiedy się wyciszysz, może nawet zadumasz się nad tym cudownym faktem, że żyjesz i oddychasz. Obie nasze córki, kiedy miały mniej więcej trzy lata, zawołały ze zdziwieniem: „Jakie to niesamowite, że żyjemy!" Wiele z nas utraciło w swym dorosłym, pełnym zajęć życiu ten dziecięcy urok i wnikliwe zdumienie. Lecz dzięki uświadomieniu sobie naszego istnienia możemy odzyskać ten sam dziecięcy entuzjazm. Dlaczego nie spróbować już dzisiaj? Twoje życie może się stać o wiele spokojniejsze, niż kiedykolwiek przypuszczałaś.

95

Znajdź swój zakątek współczucia

Postrzegam współczucie jako zdolność zrozumienia smutku, bólu czy też ciężkich doświadczeń drugiej osoby. To patrzenie na życie oczami bezdomnego człowieka lub wychudzonego dziecka z kraju Trzeciego Świata. To autentyczna próba „znalezienia się w czyjejś skórze". To poświęcenie choćby ułamka czasu na zastanowienie się nad ciężką sytuacją innego człowieka, maltretowanego zwierzęcia lub ginących lasów deszczowych.

Gdzieś tam w głębi każda z nas ma swój zakątek współczucia, takie miejsce w sercu, gdzie współczucie porusza nas tak bardzo, iż czujemy, że nie mamy innego wyjścia, jak tylko dać innym coś od siebie, choćby coś najbardziej skromnego. Matka Teresa powiedziała kiedyś, że „nie możemy dokonywać na tej Ziemi wielkich rzeczy. Możemy robić tylko małe rzeczy z wielką miłością". I jak to często bywało, miała całkowitą rację. A zatem powtórzę raz jeszcze: jest ogromna liczba małych rzeczy, które możemy robić z wielką miłością. Możemy podarować swój czas, naszą miłość, pomy-

sły, wsparcie, pieniądze, rady lub po prostu szczere, płynące prosto z serca, czułe myśli.

Współczucie jest wielką potęgą dwojakiego rodzaju. Z jednej strony zachęca nas oczywiście, abyśmy miały swój udział
w rozwiązaniu problemu; abyśmy robiły to, co do nas należy, służyły pomocą i sprawiały, by świat był odrobinę lepszy. Dziesięć dolarów miesięcznie może nie jest dla ciebie ani dla mnie zbyt wielką kwotą, lecz dla kogoś innego
może być sprawą życia lub śmierci. Jeśli nie masz pieniędzy albo wolisz inną formę pomocy, poświęć komuś swój
wolny czas. Nawet kilka godzin miesięcznie będzie miało
wielkie znaczenie dla kogoś, kto potrzebuje twojej pomocy. Pewnego razu nasza córka Kenna powiedziała z oży-
wieniem do Richarda: „Tatusiu, jeśli każdego dnia podnio-
słabym z ziemi dziesięć odpadków, to rocznie byłoby to aż
trzy tysiące sześćset!" I realizuje swój plan. Jeżeli każdy po-
stępowałby tak jak Kenna, wokół nas nie byłoby prawie
żadnych śmieci!

Oprócz tego aspektu współczucia, którego efektem jest
pomoc innym, istnieje również znacznie bardziej osobiste
ujęcie tej kwestii. Prawdę mówiąc, współczucie i wewnętrzny spokój zawsze idą w parze. Jeśli masz serce przepełnione współczuciem, nie możesz być aż tak do końca zestresowana i nieszczęśliwa. Współczucie jest ciepłem, które
koi twą duszę. Jest niczym koc, który chroni przed szkod-
liwymi skutkami nadmiernego współzawodnictwa, stresu,
chciwości, gniewu czy ambicji. Jest wewnętrznym mechanizmem równowagi, który z jednej strony sprawia, że jesteś odpowiedzialna, pełna motywacji i dążenia do sukcesu;

z drugiej natomiast – zrelaksowana, mądra, hojna, rozważna i spokojna. Współczucie jest tak potężne, że nawet jeśli jedynym twoim celem jest pomoc sobie samej, to nadal warto je odczuwać.

Współczucie rozwija się dzięki ćwiczeniom i praktyce. Im więcej uwagi poświęcasz swojemu „zakątkowi współczucia", tym bardziej to uczucie staje się dojrzalsze i silniejsze. Aby znaleźć odpowiedni klucz, musisz codziennie choć przez chwilę zadumać się nad tym trudnym aspektem naszego człowieczeństwa. Na początku nawet dwie, trzy minuty zadumy mogą być źródłem ogromnych zmian. Usiądź w ciszy i zastanów się, w jaki sposób możesz okazać swoją pomoc. Reszta zrobi się sama. Wyrzuć z głowy wszelkie obowiązki, plany, cele i po prostu pozwól, by twoje współczujące serce wskazało ci drogę. Może znajdziesz jakąś organizację, której mogłabyś pomóc, a może będziesz po prostu lepsza dla ludzi, których znasz.

Podążając dalej tym tropem, powinnyśmy kierować się współczującym sercem również w naszym życiu codziennym. Czy potrafimy wykazać się większą cierpliwością w stosunku do członków naszych rodzin, przyjaciół i współpracowników, gdy popełniają jakieś błędy? A może „dać sobie spokój", gdy ktoś zajeżdża nam drogę w korku ulicznym? Może trzeba również wziąć to pod uwagę, że wszyscy ludzie mają czasami złe dni? A czy pamiętamy, by „odpuścić" kelnerce, kiedy nas źle obsłużyła, albo bileterce, gdy kolejka posuwa się zbyt wolno? Czy możemy uśmiechnąć się do zrzędliwego sąsiada, chociaż na to „nie zasługuje"? Albo wysłuchać pretensji przyjaciółki lub ukochanego, chociaż same nie jesteśmy w najlepszym nastroju? Te wszystkie przykłady oraz tysiące im podobnych pokazują, jak kierować się współczuciem w codziennym życiu.

Nie da się tego policzyć, lecz przypuszczam, że gdyby każda z nas stała się bardziej współczująca, chociażby o dziesięć procent, byłybyśmy w stanie wyeliminować wiele bieżących problemów naszego świata. A na dodatek wszyscy bylibyśmy wtedy o wiele szczęśliwsi! Mam nadzieję, że przyłączysz się do mnie i również będziesz się starać, aby twój zakątek współczucia stał się trochę większy i bardziej widoczny. Spróbujmy więc wygospodarować taki zakątek w naszych budżetach, naszym czasie, myślach i działaniach, i stworzyć w naszych sercach piękny wspólny zakątek – zakątek współczucia.

96

Pamiętaj, że zły nastrój jest tylko chwilowy

Nastroje nie mają oczywiście większego znaczenia, dopóki nie czujesz się zdeprymowana i przygnębiona. Czy kiedykolwiek zastanawiałaś się, co złego jest w twoim życiu, gdy czułaś się świetnie? Założę się, że nigdy. Kiedy jesteś na szczycie świata i czujesz się wspaniale, wówczas twój nastrój jest niewidzialny jak wiatr.

A zatem, co się dzieje z nami, gdy jesteśmy przygnębione? Kiedy czujesz się zdeprymowana, wszystko wydaje ci się wręcz dramatycznie inne – twoja praca, związki, życie rodzinne, finanse, problemy i cała reszta. Ponury nastrój ma tak potężny wpływ na sposób postrzegania życia, że nawet przeszłość może jawić się zupełnie inaczej. W rzeczywistości to nie twoje życie zmieniło się w jednej chwili; to tylko kwestia twojego nastroju.

Przychodzi mi teraz do głowy pewne stare przysłowie: „Co się wzniosło, musi spaść". Z nastrojami jest podobnie jak ze wspinaczką; po drugiej stronie każdego szczytu jest zbocze prowadzące w dół. Nasze umysły nie mogą zawsze pozostawać na wysokim poziomie, ponieważ wtedy nie mogłybyśmy zachować równowagi.

Trzeba pamiętać, że ponury nastrój jest tylko tym, czym jest, czyli po prostu ponurym nastrojem. Kiedy pielęgnujesz takie uczucia, nadajesz im zbyt wielkie znaczenie i bez przerwy je analizujesz, przygnębienie zaczyna przeważać i odgrywać dominującą rolę w twoim postrzeganiu świata. Kiedy jesteś przygnębiona, ogarnia cię przerażenie na myśl, że już zawsze tak będziesz się czuła. Jednak gdy się zorientujesz, że złe nastroje są jedynie chwilowe, i gdy przestaniesz się nimi tak bardzo przejmować, wkrótce odczujesz poprawę, a twój umysł znowu będzie w lepszej kondycji.

Czasem musimy się zmierzyć w życiu z prawdziwymi problemami, które wymagają naszej uwagi. Na szczęście jednak większość czasu wypełniają nam różne drobne sprawy. Musimy nauczyć się z nimi żyć i uznać je, lecz nie możemy oddawać się im bez reszty. Jeśli chcesz poradzić sobie z naprawdę poważnym problemem, chwila złego nastroju nie jest do tego najbardziej odpowiednia, gdyż wtedy nie wierzysz we własne siły. Jeśli jednak czujesz się przygnębiona, a musisz rozwiązać jakiś problem bądź sytuację – zwolnienie z pracy, konflikt osobisty, jakaś zła wiadomość – powinnaś zrozumieć, że twój osąd będzie w tym czasie prawdopodobnie trochę skrzywiony. Wypracuj sobie pewne mentalne ostrzeżenie. Zbadaj swój osąd i weź pod uwagę to, że jesteś przygnębiona. Zapamiętaj, że jeśli problem naprawdę wymaga wzmożonej uwagi, nadal będzie w tym samym miejscu, gdy twój nastrój ulegnie poprawie. Gdy poczujesz się lepiej, wróci też twoja mądrość oraz zdrowy rozsądek. Te same sprawy i problemy będą wyglądały zupełnie inaczej.

Pozwól, że podam ci teraz osobisty przykład. Pewnego dnia w szkole mojej córki wynikła pewna sprawa, która spowodowała wzrost napięcia wśród nauczycieli i administracji. W związku z konfliktem wśród personelu jeden z najlepszych nauczycieli rozważał odejście ze szkoły. Rodzice – a więc również i ja – doszli do wniosku, że najlepszym rozwiązaniem będzie napisanie listu w jego sprawie. Gdy siadłam i przeczytałam swój list, uświadomiłam sobie, że nie tylko jestem w złym nastroju, lecz że dosłownie płonę z wściekłości. Chociaż już podpisałam list i zamierzałam go wysłać, pomyślałam sobie, że sytuacja nie jest aż tak krytyczna. Powinnam poczekać do końca weekendu, aby się przekonać, co będę czuła. Kiedy mój nastrój się poprawił, poczułam, rzecz jasna, że list jest zbyt ostry i należy go złagodzić.

Wyobraź sobie przez chwilę, że masz „nastrojowy pierścionek", który przypomina ci, że jesteś w złym nastroju. Gdy błyska czerwonym światłem, ostrzega cię, że pora traktować swoje myśli i uczucia trochę mniej poważnie. Informuje, że właśnie teraz odczuwasz pokusę, aby stać się bardziej defensywną, impulsywną i skłonną do ocen. A życie wyda ci się w takiej chwili bardziej stresujące i trudniejsze, niż jest w rzeczywistości. Będziesz odczuwała nagłą potrzebę „podsumowania" swojego życia lub rozwiązania problemów.

Pomimo nieodpartej potrzeby reagowania, powinnaś wiedzieć, że nie jest to najlepsza pora na próby porządkowania spraw. Postąpisz dużo mądrzej, jeśli zaczekasz, aż przygnębienie minie, co z pewnością stanie się samoistnie, jeżeli tylko na to pozwolisz.

Niestety, nie mamy takiego migającego pierścionka z wskaźnikiem nastroju. Mamy jednak do dyspozycji nawet bardziej odpowiedni instrument, którym są nasze uczucia. Określają one z precyzyjną dokładnością, jaki mamy aktualnie nastrój. Musimy się jedynie do niego dostosować i zwrócić uwagę na to, jak się czujemy. Zły nastrój to ostrzeżenie, że powinnaś wyłączyć myślenie. Jeśli tak zrobisz, istnieje duże prawdopodobieństwo, że wkrótce znowu poczujesz się lepiej.

97

Wspinaj się krok po kroku na swoje szczyty

Ostatnio przeżyłam wspaniałe chwile ze swoją ukochaną przyjaciółką w jej domu we Włoszech. Nie mogłyśmy się już doczekać wspólnych wypraw górskimi szlakami, które odkryją przed nami efektowne, przepiękne widoki jezior, gór i starych włoskich wiosek.

Kiedy spojrzysz na góry, od razu zrozumiesz, dlaczego od tak dawna są metaforą naszych życiowych wyzwań. Gdy stoisz u szczytu góry i widzisz ją w całej okazałości, wspinaczka może się wydawać zbyt przytłaczającym wyzwaniem. Natychmiast chwytasz się tej myśli i popadasz w zwątpienie: „Zapowiada się trudna wspinaczka. O rany, po co tak się męczyć? Nie mam pojęcia, czy temu podołam". Lecz po pierwszej chwili wahania postanawiasz ruszyć do przodu. Stawiasz jedną stopę przed drugą, posuwając się w górę krok po kroku.

Gdy zwracasz uwagę jedynie na swoje stopy, koncentrujesz się tylko na tym, co jest przed tobą. Cieszysz się wspinaczką i odczuwasz satysfakcję, skupiając całą swoją uwagę na kolejnym kroku. Jeśli skoncentrujesz się na tym, jak długo jeszcze musisz iść, aby osiągnąć szczyt, samo rozmyślanie o tym sprawi, że poczujesz się zmęczona. W ten sposób tylko osłabisz swoją chęć do wspinaczki. Jeżeli zerkniesz ukradkiem w dół, możesz się przestraszyć, że zaszłaś tak daleko, lub poczuć wyczerpanie. W ten sposób wspinaczka staje się pewnym rodzajem medytacji. Jeżeli myśli nie zaciemniają ci prawdziwego obrazu, osiągasz szczyt, zanim zdążysz się w ogóle zorientować. Dostałaś się tam, wspinając się krok po kroku.

Z pewnością wszystkie stajemy w życiu wobec jakichś wyzwań. Tajemnicą dla każdej z nas jest tylko to, jakie ono będzie. Konfrontacja z codziennymi wyzwaniami nie różni się od wchodzenia krok po kroku na górski szczyt. Możesz poradzić sobie z jakąś sytuacją, która okaże się wielką przeszkodą, jeśli będziesz posuwać się krok za krokiem i skoncentrujesz swoją uwagę na tym, co jest tu i teraz. Jeżeli spróbujesz od razu wziąć na siebie cały problem, ryzykujesz, że nie dobrniesz do mety. Nie zastanawiaj się nad przyszłością; nie zatrzymuj się na przeszłości. W czasie ciężkiej próby potrzebujemy wszystkich dostępnych zasobów i środków, a gdy zajmujemy się przeszłością lub przyszłością, nasze myślenie traci ostrość i jasność. Wyzwania są o wiele mniej przytłaczające, gdy rozwiązujesz je małymi kroczkami.

Twoja osobista góra może pojawić się przed tobą w postaci jakiegoś szczególnego celu, który sobie postawiłaś; może być również walką z uzależnieniem lub chorobą. Bez względu na to, przed jakim wyzwaniem staniesz, będziesz mogła się z nim zmierzyć, stawiając krok za krokiem.

98

Zdefiniuj swoje drobiazgi

Gdy próbujesz nie zadręczać się drobnymi sprawami, naprawdę pomocne okazuje się zdefiniowanie tego, co rozumiesz przez „drobiazgi". A zatem jeśli zadręczasz się czymś, powinnaś mieć jakiś punkt odniesienia, który przypominałby ci o odpowiedniej perspektywie.

Aby w najłatwiejszy sposób przekonać się, co jest prawdziwym drobiazgiem, musisz pomyśleć, choćby przez chwilę, o czymś naprawdę wielkim. Możemy odnieść się do poważnych problemów, takich jak ciężka choroba, śmierć, nadużywanie narkotyków, wykorzystywanie dziecka, krytyczna sytuacja rodzinna, bankructwo, nagła utrata pracy. Niewielu ludzi sprzeciwiłoby się twierdzeniu, że sprawy tej natury są naprawdę istotne.

Jednak kiedy się nad tym zastanowisz, okaże się, że większość rzeczy i spraw zalicza się do kategorii „drobiazgów". Oczywiście ani Richard, ani ja nie uważamy za drobnostkę faktu włamania się do twojego domu albo kradzieży samochodu. Z drugiej strony nie ma sensu robić afery międzynarodowej, gdy ktoś zajedzie ci drogę albo nie odpowie na twój telefon. Nawet jeśli masz w pasie kilka centymetrów więcej, niżbyś chciała, nie powinnaś robić z tego tragedii. W rzeczy samej, zanim zdefiniujemy, co rozumiemy przez drobiazgi, często podświadomie uważamy praktycznie każdą rzecz – nawet najdrobniejszą zmianę w naszych planach, najmniejszą irytację – za wielką sprawę. A nawet jeśli tak jej nie określamy, to z pewnością traktujemy ją właśnie w taki sposób!

Prawdopodobnie niewiele z nas lubi zmywać naczynia, niemniej jednak warto pamiętać, jak jesteśmy szczęśliwe, że w ogóle je mamy. Tak samo jest z korkami na ulicach. Nikt za nimi nie przepada, chociaż wziąwszy wszystko pod uwagę, posiadanie samochodu lub innych środków komunikacji jest przejawem luksusu. Przeszkadza nam, gdy dzieci marudzą lub narzekają. Lecz z drugiej strony, dzieci, które możemy obdarzać miłością, są prawdziwym skarbem, nawet jeśli czasami bywają niegrzeczne.

Niestety, bez względu na to, jak bardzo wierzymy, że tak jest naprawdę, żadna ilość tej „logicznej" wdzięczności nie uchroni nas przed zadręczaniem się drobiazgami. Jest jednak coś, od czego można zacząć. Pierwszy krok to próba zaliczania rzeczy raczej do drobiazgów niż do wielkich spraw. Potem, w miarę jak coraz bardziej umacniasz ten pogląd, wszystko staje się w twoich oczach rzeczywiście coraz mniej znaczące.

Z drugiej strony, jeśli będę uważać, że zła obsługa w restauracji, zbyt długa kolejka w sklepie czy spóźnienie Richarda to sytuacje krytyczne, wówczas trudno mi będzie zachować spokój. Oznacza to, że mogę być szczęśliwa jedynie w określonych, prawie niemożliwych do spełnienia warunkach, kiedy życie i wszyscy ludzie będą traktować mnie w sposób wręcz doskonały. Niech pomyślę, cóż, zdarzyło się tak jeden jedyny raz jakieś dwadzieścia lat temu!

Jeśli natomiast zdefiniuję takie rzeczy – oraz tysiące innych potencjalnych źródeł codziennej irytacji – jako drobiazgi, wówczas mam wszelkie szanse zachowania zimnej krwi.

Im więcej rzeczy zaliczymy do drobiazgów, tym lepiej będziemy się czuły. Jeśli zostawimy wszystko tak, jak jest, nie będziemy zaciskać pięści ze złości i frustracji, wówczas poczujemy się o wiele lżej i spokojniej. I nie tylko my będziemy zrelaksowane, lecz również ci wszyscy, którzy nas otaczają. To zaowocuje lepszymi związkami, łatwiejszą komunikacją oraz znaczną poprawą jakości naszego życia.

Znakomitym pomysłem jest mentalna lista rzeczy, które uważasz za „wielkie sprawy". Kiedy więc zdarza się coś przykrego i tracisz opanowanie, przypomnij sobie o niej. Jeśli zdenerwuje cię coś, czego nie ma na twojej liście, uświadom sobie, że z łatwością dasz temu radę. Weź kilka głębokich oddechów i ruszaj dalej. W końcu życie nigdy nie będzie doskonałe. Kiedy jednak zdefiniujemy swoje drobiazgi, będzie nam dużo łatwiej spoglądać na nie z pewnej perspektywy.

99

Bądź gotowa stanąć na własnych nogach

Nigdy przedtem kobiety nie miały tylu okazji do realizowania planów i osiągania swoich celów. Nie jesteśmy już uważane za „słabszą płeć" ani w miejscach pracy, ani na arenach sportowych. Teraz, w tym nowym tysiącleciu, wszystko jest w naszych rękach. Mamy większe możliwości finansowe niż kiedykolwiek przedtem i po raz pierwszy (nie licząc czasów wojny) często jesteśmy głównymi żywicielami naszych rodzin. Z drugiej strony, możemy również zdecydować się na pozostanie w domu, wychowywanie dzieci i prowadzenie gospodarstwa. Wiele kobiet zmaga się z tym wszystkim jednocześnie, próbując pogodzić karierę zawodową z obowiązkami względem rodziny.

Chociaż wszystkie te opcje znajdują się w naszym zasięgu, nadal jesteśmy przecież kobietami, które nagle mogą zostać same. Owdowiała czy rozwiedziona kobieta staje się zupełnie bezradna i nie wie, co zrobić ze swoimi finansami z powodu dotychczasowej zależności od partnera. Tak więc bez względu na okoliczności, w jakich się znajdujesz, musisz być przygotowana, żeby stanąć na własnych nogach, zarówno emocjonalnie, jak i finansowo.

Twoje życie nie może upływać w ciągłym strachu przed nieszczęściem, więc oszacuj swoje umiejętności i „wartość rynkową", nawet jeśli w danej chwili nie masz zamiaru szukać pracy. Jeżeli twoje małżeństwo jest szczęśliwe, a finanse stabilne, weź pod uwagę, że wszystko może się zmienić w jednej chwili. A jeśli coś przytrafi się twojemu partnerowi? Czy jesteś zabezpieczona finansowo? Czy wiesz o wszystkich swoich lokatach i polisach ubezpieczeniowych? Na wszelki wypadek warto o tym wiedzieć, gdyż lepiej być przygotowaną na każdą ewentualność, zwłaszcza jeśli dotyka cię nieoczekiwana tragedia. Najgorszą rzeczą, jaką mogę sobie wyobrazić, jest strata partnera, opłakiwanie go, żałoba i jednoczesny brak środków na utrzymanie rodziny oraz brak planu działania.

Jedna z moich przyjaciółek obudziła się pewnego dnia – jak to dzisiaj wyjaśnia – i zdała sobie sprawę, nie bardzo wiedząc nawet, kiedy do tego wszystkiego doszło, że jest żoną narkomana uzależnionego od kokainy. Mieli dwoje wspaniałych dzieci. Mężczyzna, który był jej mężem od dziesięciu lat, stracił wszystkie ich oszczędności, jakie mieli na koncie, oraz dom. Moja przyjaciółka wiedziała, że musi odejść i stanąć na własnych nogach, zanim mąż-narkoman pociągnie za sobą w otchłań ją i dzieci.

Z niewielką ilością pieniędzy, stojąc w obliczu bankructwa, jeździła całymi dniami swoim samochodem i szukała kogoś, kto uwierzy, że będzie w stanie płacić dzierżawę. Wiele lat temu była handlowcem i na szczęście nie zerwała kontaktów ze swoimi klientami, więc od razu dostała pracę w biurze.

Od tej pory minęły trzy lata, a ona, bez żadnej pomocy ze strony byłego męża, kupiła dom, posłała dzieci do prywatnej szkoły i zabrała rodzinę na Hawaje. Jej siła i umiejętności są wspaniałym przykładem przygotowania się na wszelką ewentualność. Moja przyjaciółka bardzo kochała swojego męża i nigdy nie zamierzała go opuszczać, lecz wiedziała, że jeśli będzie musiała, to stanie na własnych nogach. I tak zrobiła!

Czy zastanawiałaś się ostatnio nad swoimi możliwościami? Jeśli musiałabyś wrócić do pracy, co chciałabyś robić? Czy gdy twoje dzieci dorosną, masz zamiar wrócić do szkoły, aby dalej się kształcić i poszerzać swoje horyzonty? Nie jestem zwolenniczką planów pięcioletnich, lecz czasem lepiej stopniowo podążać w wybranym kierunku, niż nagle znaleźć się w rozpaczliwym położeniu, do którego nie zdążyłyśmy się przygotować.

Bardzo ważną sprawą jest więc orientacja w sprawach finansowych. Chociaż w naszym domu to Richard podejmuje większość decyzji finansowych odnośnie do lokat, polis ubezpieczeniowych i tym podobnych, zawsze dokładnie mnie o wszystkim informuje. W razie jakiejś krytycznej sytuacji wiem, gdzie są nasze ważne dokumenty oraz numery kontaktowe. Rozmawialiśmy nawet o tym, co będę musiała zrobić, jeśli coś mu się stanie.

Musisz być również przygotowana, aby stanąć na własnych nogach w sensie emocjonalnym. Oznacza to, że powinnaś odczuwać szczęście nie tylko z powodu obecności partnera w twoim życiu, lecz także dlatego, że życie jest pełne różnych wyzwań, nagród i znaczeń. Nie wolno traktować innej osoby jako naszego spełnienia; musimy zająć się tym osobiście. Na spełnienie nie można dostać pełnomocnictwa. Musisz sama zaopiekować się swoim szczęściem i emocjonalną stroną życia.

Jeśli przygotujesz się do tego, by stanąć na własnych nogach, nie będziesz się zamartwiać, czy poradzisz sobie, gdy zmusi cię do tego sytuacja. Gdy wszystko jest w porządku, wówczas dużo łatwiej nie zadręczać się tym!

100

Strzeż tej podróży jak skarbu

Ach... co za pomysł: strzeż tej podróży jak skarbu. Zanim twój umysł zajmie się różnymi nieszczęściami, zmartwieniami i utrapieniami, z którymi możesz się dzisiaj zmierzyć, albo faktem, że twoje życie nie jest takie, jakiego oczekiwałaś, daj sobie spokój i zacznij powtarzać: Dzisiaj będę strzegła tej podróży jak skarbu.

„Strzec czegoś jak skarbu", to znaczy mieć to głęboko w sercu. Gdy mówię o podróży, mam na myśli dar życia, który jest dla nas największą nagrodą. Możesz więc uczynić swoje życie przygodą znaczoną twoją osobistą ścieżką odkryć.

Richard często mówi na swoich wykładach, że „Życie jest procesem, a nie celem". Nie chodzi zatem o to, że zamierzasz „gdzieś dotrzeć" i tam wreszcie zaznać szczęścia. Radością jest sama droga. Twoja podróż jest procesem, który odbywa się z dnia na dzień, z chwili na chwilę, a od twojej postawy i podejścia do życia zależy, co na swojej drodze otrzymasz. Trzeba postawić sobie pytanie: Czy czekasz na to, co się stanie w twoim życiu pewnego dnia, czy może żyjesz chwilą obecną i przyjmujesz życie takim, jakie ono jest? Twoja odpowiedź określi, czy traktujesz je jak przygodę, czy też bezustannie trzymasz się tego, co przyniesie przyszłość!

Przyznaję, że bywają takie dni, gdy budzimy się i odnosimy wrażenie, że zamiast skakać lekko przez łąkę pełną kwiatów i czuć we włosach wiatr, przedzieramy się błotnistą drogą zarośniętą ze wszystkich stron trującą roślinnością. Właśnie podczas takich ciężkich dni musimy pamiętać, by strzec naszej podróży jak skarbu.

Warto przypomnieć sobie wtedy jakieś cudowne wakacje, w trakcie których przynajmniej jedna rzecz nie poszła tak, jak chciałyśmy, lecz mimo wszystko nie pozwoliłyśmy, by to zniszczyło nam wspaniałe chwile. W tym samym duchu musimy rozpoczynać każdy dzień, traktować go jak nowy początek i łapać przygodę, którą niesie na swych skrzydłach każda chwila. (Nie ukrywajmy, że niejedną przygodę chciałybyśmy przeżyć po raz drugi.)

Kiedyś siedziałam w kawiarni w Berkeley i byłam nastawiona bardzo refleksyjnie. Przez kilka minut obserwowałam ludzi, którzy przechodzili obok mnie. Każda osoba była nieprzeciętną indywidualnością, jak to w Berkeley bywa, a ja pomyślałam, że to naprawdę wspaniale, iż na świecie jest tylu różnych ludzi, tyle kształtów i kolorów. Miałam głęboką świadomość, że każda z tych osób ma swoją niepowtarzalną historię, wypełnioną przeszłością, teraźniejszością i przyszłością.

Punkt kulminacyjny wszystkich naszych doświadczeń kończy naszą – jedyną w swoim rodzaju – biografię; każdy człowiek zostawia w historii ludzkości swój znak, którym jest jego własna opowieść, a każdy dzień reprezentuje jej kolejną kartę. Od przebudzenia aż do momentu, gdy zapadasz w sen, kontynuujesz swoją podróż złożoną z ulotnych chwil i mijających dni. Jeśli strzeżenie tego skarbu, jakim jest podróż, w której uczestniczysz, stanie się twoim szczerym zamiarem, zaczniesz odczuwać wielką wdzięczność oraz ogromną miłość. Przekonasz się, że życie daje ci wszystko, czego potrzebujesz, a czasem nawet to, o co prosisz. Każde wydarzenie ma swój cel i znaczenie, a ty wiesz już dobrze, że „drobiazgi" nie mają żadnego znaczenia. Prawdę mówiąc, jeśli zamartwiasz się bezustannie i zadręczasz drobiazgami, nie jesteś w stanie cieszyć się swoimi codziennymi doświadczeniami i strzec ich jak skarbu.

My, kobiety, po raz pierwszy w historii mamy w zasięgu ręki cały ten świat i wszystko, co on nam oferuje. Musimy tylko rozwinąć skrzydła, uzbroić się w zdrowy rozsądek, serce i duszę i frunąć jak wiatr.

A więc budź się każdego ranka ze szczerym zamiarem postrzegania życia jako niesamowitej przygody – podróży, której trzeba strzec jak skarbu. Życie jest wielkim darem; skarbem, który jawi się na końcu tęczy. Jeśli z tą myślą będziesz rozpoczynać każdy dzień, doświadczysz prawdziwych cudów i ze zdumieniem otworzysz się na przyjęcie szczęścia.

Na zakończenie chciałabym podziękować, że przeczytałaś tę książkę i że razem ze mną wzięłaś udział w tej, bezcennej dla mnie, części mojej własnej podróży.

Niech światło miłości zawsze będzie z Tobą.
Tego z całego serca Ci życzy,
Kris

Od autorki

Kris Carlson wspiera fundację Susan G. Komen Breast Cancer Foundation.

Prosimy o wsparcie.
Adres:
Susan G. Komen Breast Cancer Foundation
P.O. Box 650309
Dallas, TX 75265-0309

Dalsze informacje znajdziesz pod adresem:
www.komen.org.

Bibliografia

Carlson R., *Nie zadręczaj się drobiazgami, nastolatku* (Dom Wydawniczy REBIS - w przygotowaniu)

Carlson R., Carlson K., *Nie zadręczaj się drobiazgami w miłości*, Dom Wydawniczy REBIS, Poznań 2000

Carlson R., *Nie zadręczaj się drobiazgami w pracy*, Dom Wydawniczy REBIS, Poznań 1999

Carlson R., *Nie zadręczaj się drobiazgami w domu*, Dom Wydawniczy REBIS, Poznań 1999

Carlson R., *Don't Sweat the Small Stuff about Money*, Hyperion, 1998

Carlson R., *Nie zadręczaj się drobiazgami*, Dom Wydawniczy REBIS, Poznań 1998.

Carlson R., *Slowing Down to the Speed of Life* (z J. Baileyem), HarperSanFrancisco, 1998

Carlson R., *Handbook for the Heart* (z B. Shieldem), Little, Brown, 1995

Carlson R., *Handbook for the Soul* (z B. Shieldem), Little, Brown, 1994

Carlson R., *Shortcut Through Therapy*, Plume, 1995

Carlson R., *You Can Feel Good Again*, Plume, 1994

Carlson R., *You Can Be Happy No Matter What*, New World Library, 1997

Bach R., *The Bridge Across Forever: A Love Story*, William Morrow & Co., 1984

Bach, R., *Mewa*, Dom Wydawniczy REBIS, Poznań 1995.

Bailey J., *The Speed Trap: How to Avoid the Frenzy of the Fast Lane*, HarperSanFrancisco, 1999

Beck Ch. Joko, *Everyday Zen: Love and Work*, HarperSanFrancisco, 1989

Borstein S., *It's Easier Than You Think: The Buddhist Way to Happiness*, HarperCollins, 1995

Borysenko J., *Minding the Body, Mending the Mind*, Bantam Doubleday Dell Publishing, 1993

Breitman P. and C. Hatch, *How to Say NO Without Feeling Guilty*, Broadway Books, 2000

Chopra D., *Życie bez starości: młode ciało, ponadczasowy umysł*, Książka i Wiedza, Warszawa 1995

Dyer W., *Real Magic: Creating Miracles in Everyday Life*, Harper Paperbacks, 1993

Eadie B. J., *W objęciach jasności*, Prima, Warszawa 1995

Easwaran E., *Take Your Time: Finding Balance in a Hurried World*, Nilgiri Press, 1994

Gawain S., *Creative Visualisation*, New World Library, 1995

Gibran K., *Prorok*, Wydawnictwo Salezjańskie, Warszawa 1993

Gittleman A. L., *Supernutrition for Women: A Food-Wise Guide for Health, Beauty, Energy, and Immunity*, Bantam Doubleday Dell Publishing, 1991

Hahn Thich Nhat, *The Miracle of Mindfulness: An Introduction to the Practice of Meditation*, Beacon Press, 1976

Hay L. L., *Możesz uzdrowić swoje życie*, Medium, Warszawa 1994

Hesse H., *Siddhartha*, PIW, Warszawa 1998

Jampolsky G., *Love Is Letting Go of Fear*, Celestial Arts,1988

Jampolsky G., Lee L., *Smile for No Good Reason*, Hampton Roads Publishing Company, Inc., 2000

Kabat-Zinn J., *Właśnie jesteś: przewodnik uważnego życia*, Jacek Santorski and Co Agencja Wydawnicza, Warszawa 1995

Kornfield J., *A Path With Heart: A Guide Through the Perils and Promises of Spiritual Life*, Bantam Books, 1993

Moran V., *Zaczarowany świat*, Dom Wydawniczy REBIS, Poznań 2000.

Moran V., *Lit from Within: Tending the Soul for Lifelong Beauty*, HarperSanFrancisco, 2001

Moran V., *Love Yourself Thin: The Revolutionary Spiritual Approach to Weight Loss*, New York: Signet, 1999

Moran V., *Shelter for the Spirit: How to Create Your Own Haven in Hectic World*, New York: HarperCollins, 1998

Northrup Ch., *Women's Bodies, Women's Wisdom: Creating Physical and Emotional Health and Healing*, Bantam Doubleday Dell Publishing, 1998

Levine S., *A Gradual Awakening*, Anchor/Doubleday, 1989

St. James E., *Simplify Your Life: 100 Ways to Slow Down and Enjoy the Things that Really Matter*, Hyperion, 1994

St. James E., *Living the Simple Life: A Guide to Scaling Down and Enjoying More*, Hyperion, 1996

Shinn F. S., *Your Word Is Your Wand*, Beekman Publishing, Inc., 1999

Shinn F. S., *The Game of Life and How to Play It*, Beekman Publishing, Inc., 1999

Weil A., *Samouzdrawianie: jak odkryć i udoskonalić naturalną zdolność organizmu do podtrzymywania jego funkcji i samouzdrawiania*, Książka i Wiedza, Warszawa 1997

Książki na temat jogi:

Instant Stretches for Stress Relief: Instant Energy and Relaxation with Easy to Follow Yoga Stretching Techniques, Mark Evans, Lorenz Books, 1996

Yoga: Mastering the Basics, Sandra Anderson and Rolf Sovik. Himalayan Institute

Yoga Mind & Body, Sivananda Yoga Vedanta Center, DK Living, 1998

Richard Hittleman's Yoga: 28-Day Exercise Plan, Richard Hittleman, Workman Publishing, 1969

Kasety wideo:

Yoga Alignment and Form: A Home Practice With John Friend. Spring, TX: Purple Pentacle Enterprises. *Yoganetics: A Breakthrough Fitness Program That Extends Yoga Into Motion.* Shawnee Mission, KS: Wyatt Townley; www.yoganetics.com

Stress Relief Yoga for Beginners: Suzanne Deason. Healing Arts Publishing; Living Arts: 1 (800)-2-living.

Kasety medytacyjne:

The Celestine Meditations: A Guide to Meditating Based on the Celestine Prophecy. Salle Merrill-Redfield. 1995 Time Warner Audio Books: 9229 Sunset Blvd., Los Angeles, CA 90069.

Deep Relaxation with Ali Hammer: Guided Relaxation With Music. Alijsj Yahoo.com

Spis treści